सनसेट क्लब

(खुशवंत सिंह के बैस्टसैलर उपन्यास
THE SUNSET CLUB का हिन्दी अनुवाद)

सनसेट क्लब

खुशवंत सिंह

राजपाल

अनुवाद

महेन्द्र कुलश्रेष्ठ

मूल्य : ₹ **150**

ISBN : 978-81-7028-944-9

प्रथम संस्करण : 2011, तृतीय आवृति : 2013

© : खुशवंत सिंह

हिन्दी अनुवाद © राजपाल एण्ड सन्ज़

SUNSET CLUB (Novel)

by Khushwant Singh

(Hindi edition of The *Sunset Club* by Khushwant Singh)

मुद्रक : जी. एच. प्रिंट्स प्रा. लि., दिल्ली

राजपाल एण्ड सन्ज़

1590, मदरसा रोड, कश्मीरी गेट-दिल्ली-110006

फोन: 011-23869812, 23865483, फैक्स: 011-23867791

website : www.rajpalpublishing.com

e-mail : sales@rajpalpublishing.com

सुजान सिंह पार्क की महारानी
दिल्ली की अपनी मदर टेरेसा
त्रिपुरा की रीतादेवी
के नाम

क्रम

प्राक्कथन

मैं यह उपन्यास लिखना नहीं चाहता था। पचानवे का हो रहा था और पता नहीं था कि पूरा कर सकूँगा या नहीं। लेकिन कुछ करने को नहीं था, इसलिए परेशानी होने लगी। तब 'आउटलुक' पत्रिका की शीला रेड्डी ने सुझाया कि मैं पुराने मृत मित्रों के बारे में लिखूँ, जिनकी हमेशा चर्चा करता रहा। विचार दिमाग में जमा और मैंने यह लिखना शुरू किया। इसमें मैंने तथ्यों में कल्पना की मिलावट की है।

पाठकों को लगेगा कि जो मैंने लिखा है, वह कुरुचिपूर्ण है—भद्र समाज उसे स्वीकार नहीं करता। कोई बात नहीं। मैं कभी लीपापोती या दिखावे की अच्छाई के लिए मशहूर नहीं रहा। अगर आपको इस किताब में कुछ अच्छा न लगे, उसे न पढ़ें।

यहाँ मैं दिवाकर हाज़रा और नंदिनी मेहता के प्रति अपनी कृतज्ञता व्यक्त करता हूँ और लछमन दास तथा राजिन्दर गंजू को, जिन्होंने मेरे उल्टे-सीधे शब्दों को व्यवस्थित करने की कोशिश की।

1
लोदी गार्डन

मेरी यह कहानी सोमवार की शाम से शुरू होती है–26 जनवरी 2009, स्वतंत्र भारत गणतंत्र का 59वाँ स्थापना-दिवस। हालाँकि भारत ने अंग्रेज़ों से 15 अगस्त 1947 के दिन आज़ादी प्राप्त की थी, हमारे बुद्धिमान नेताओं ने तय किया कि अगस्त का मध्य बहुत गर्म और गीला होता है, जिससे खुले आसमान में समारोह इत्यादि करने में कठिनाई होती है, इसलिए जनवरी के अन्त का समय इस अवसर के लिए बहुत उपयोगी रहेगा। इसलिए उन्होंने 26 जनवरी का चुनाव किया, जिस दिन उन्होंने देश को उसका संविधान प्रदान किया। उन्होंने इसे गणतंत्र दिवस का नाम दिया और राष्ट्रीय पर्व के रूप में इस दिन अवकाश की भी घोषणा की।

जनवरी के अन्त तक सर्दी कम होने लगती है; सवेरे का कोहरा कम होकर सूरज निकलने लगता है और फूलों के खिलने तथा चिड़ियों के चहचहाने का मौसम आ जाता है।

भारत के केलेण्डर में गणतंत्र दिवस सबसे बड़ा पर्व है। यह अकेला पर्व है जिसे देश भर में सारी जातियों के लोग मनाते हैं–हिन्दू; मुस्लिम, ईसाई, बौद्ध, सिख, जैन और पारसी। सभी प्रदेशों की राजधानियों में

झण्डे फहराए जाते हैं और सेना, पुलिस तथा स्कूली बच्चों की परेड निकाली जाती है।

देश की राजधानी में विशाल समारोह होता है, जिसकी तुलना सम्भव नहीं है, यहाँ भारत की सैनिक शक्ति और सांस्कृतिक विविधता का प्रभावी प्रदर्शन होता है। टैंक, सशस्त्र वाहन और रॉकेट चलाने वाले विमान राजमार्ग से गुजरते हैं, बन्दूकें दागी जाती हैं; भूसैनिकों, नाविकों, हवाई वैमानिकों के दस्ते अपनी तलवारें सेल्यूट की मुद्रा में ऊपर उठाये मार्च करते हैं; ऊँटों और घोड़ों पर सवार विशेष फौजी सिपाहियों की झाँकियों के पीछे विभिन्न राज्यों के अलंकृत सांस्कृतिक प्रदर्शन लम्बी गाड़ियों में, उनके चारों तरफ नाचते-गाते लोकनर्तक, एक के बाद एक देर तक मुख्य सड़कों से गुजरते हैं। तड़के सवेरे से लोग ये दृश्य देखने के लिए राजपथ के दोनों ओर एकत्र होना आरम्भ कर देते हैं। यह विशाल प्रांगण राष्ट्रपति भवन से आरम्भ होकर, रायसीना हिल के ऊपर से होकर, सेक्रेटेरिएट की दो आलीशान इमारतों, नार्थ और साउथ ब्लाक्स के बीच के ढलान से होते हुए इण्डिया गेट के नाम से विख्यात युद्ध-स्मारक तक पहुँचता है, जिस पर प्रथम विश्वयुद्ध, 1919 के तीसरे अफगान युद्ध और 1971 में पाकिस्तान के साथ हुई मुठभेड़ के शहीदों के नाम लिखे हैं। इण्डिया गेट के बीचोंबीच प्रकाश की अमर-ज्योति मातृभूमि के लिए प्राणों की बलि चढ़ाने वाले इन शहीदों की याद में निरंतर जलती रहती है।

आप प्रश्न कर सकते हैं कि भारत देश, जो महात्मा गाँधी का देश होने पर गर्व करता है, जो शान्ति तथा अहिंसा के मसीहा के रूप में दुनिया भर में पूजे जाते हैं, वहाँ ऐसे मारक हथियारों तथा युद्धशक्ति का प्रदर्शन करके राष्ट्रीय दिवस क्यों मनाया जाता है। सच्चाई यह है, कि हम भारतवासी अन्तर्विरोधों में पलते हैं; हम दुनिया को शान्ति का सन्देश देते हैं और अपने घर में युद्ध की तैयारी करते हैं। हम मन की पवित्रता, शुद्ध आचरण और ब्रह्मचर्य का आदर्श बखानते हैं, लेकिन हम सेक्स से भी अभिभूत रहते हैं। इससे हमारा व्यक्तित्व रोचक हो जाता

है। लेकिन हम हथियारों के खुले प्रदर्शन का प्रतिकार करने के लिए सेक्रेटेरिएट की इमारतों के सामने के विजय चौक नामक मैदान में दूसरे दिन युद्ध से वापसी का कार्यक्रम भी करते हैं। इसमें सेना, नौसेना तथा वायुसेना के नौजवान हथियारों के स्थान पर बैंड-बाजे, तुरही, बाँसुरी तथा अन्य साज़ बजाते हुए मैदान के चारों ओर मार्च करते हैं। यह समारोह महात्मा गाँधी की प्रिय धुन के साथ समाप्त होता है। 30 जनवरी को, जिस दिन महात्मा गाँधी की हमने हत्या की, हमारे नेता राजघाट पर एकत्रित होकर काले संगमरमर के पत्थर पर, जिस स्थान पर उनकी दाह-क्रिया सम्पन्न की गई थी, उन्हें अपनी श्रद्धा अर्पित करते हैं। ऐसे हैं हम लोग। और इस कारण हम रोचक व्यक्ति हैं।

मैं अपनी कहानी पर वापस लौटूँ। दोपहर के समय राजपथ पर परेड समाप्त हो जाती है और भीड़ घरों को वापस लौटने लगती है। कुछ लोग पुराने किले चले जाते हैं और वहाँ धूप में आराम करते हैं। कुछ पिकनिक का आनन्द लेते हैं। इसके अलावा भी कई ऐतिहासिक स्थल हैं, जहाँ शान्ति प्राप्त होती है। इनमें समीप ही लोदी गार्डन बहुत लोकप्रिय है। यह राजपथ से ज्यादा दूर नहीं है, यहाँ पैदल भी जा सकते हैं और यहाँ तरह-तरह के वृक्ष, पक्षी और पुरानी इमारतें हैं। यह शायद देश भर का सबसे शानदार विशाल पार्क है। एक समय यह खैरपुर गाँव था जहाँ कई पुरानी इमारतें थीं। 1930 के दशक में गाँव वालों को यहाँ से हटा दिया गया और ज़मीन पर सरकार ने कब्जा कर लिया।

तब वायसराय की पत्नी लेडी विलिंगडन ने, जो कुछ बददिमाग़ थी और इतिहास के पन्नों पर अपना नाम दर्ज करवाना चाहती थी, इन बिखरे हुए खण्डहरों के इर्द-गिर्द एक दीवार खड़ी करवा दी, उत्तरी दिशा में एक फाटक बनवा दिया और उस पर लिखवा दिया 'लेडी विलिंगडन पार्क'। उसने इसमें चारों तरफ एक पगडण्डी भी निकलवा दी जिस पर साहब और उनकी मेमें घुड़सवारी करते थे। अब यह सब इतिहास हो गया है। अब इसे कोई लेडी विलिंगडन पार्क कहकर नहीं पुकारता, पगडण्डी अब

बढ़कर पत्थरों से बना फुटपाथ हो गई है और पार्क को लोदी गार्डन कहा जाता है क्योंकि इसकी अधिकांश इमारतें लोदी राजवंश के समय में ही निर्मित हुई थीं। अब इसमें तीन फाटक और बन गये हैं। उत्तर में ही एक दूसरा फाटक भी है जिसके साथ एक छोटा-सा कार पार्क भी है। लोगों को एक पुराने पत्थर के पुल से, जिसे अठपुला कहते हैं, खाई को पार करना पड़ता है, जिसका निर्माण 1518 में हुआ था और जो सिकन्दर लोदी के मकबरे की दीवार को घेरती है—यहाँ से मौलश्री के पेड़ों का एक रास्ता पार्क के केन्द्र तक जाता है। पूर्व दिशा में, इण्डिया इण्टरनेशनल सेंटर से लगा एक और द्वार है, दक्षिण की तरफ भी एक द्वार है, जो ताड़ के पेड़ों के रास्ते यहाँ के सबसे पुराने, मुहम्मदशाह सैयद के मकबरे तक ले जाता है, जो 1450 में बना था।

पार्क का सबसे लोकप्रिय स्थान दक्षिण की दिशा में फैला वह विशाल मैदान है, जहाँ 1494 में बनी यहाँ की सबसे प्रमुख जामी मस्जिद बनी थी। इसका सबसे बड़ा आकर्षण इसका गुम्बद है जो बिल्कुल किसी युवती की छातियों की तरह गोल है, उसकी चूची तथा इर्द-गिर्द की काली गोलाइयों समेत एकदम उसी तरह। बड़ी और छोटी सभी मस्जिदों में गुम्बद होते हैं लेकिन इनके ऊपर धातु के शिखर गढ़े होते हैं जिनसे इनका नारी-सुलभ आकर्षण नष्ट होता है। लेकिन बड़ा गुम्बद ऐसा नहीं है। आप घण्टों इसकी तरफ देखते रह सकते हैं और कुँवारी लड़की की छातियों का मज़ा ले सकते हैं। आप यह भी देखेंगे कि घास पर बैठे पुरुषों का चेहरा इसकी तरफ होता है, लेकिन उनकी स्त्रियाँ दूसरी तरफ देखती होती हैं। इसके सामने एक बेंच भी पड़ी है। पार्क में घूमने वाले पुराने लोग इस बेंच को 'बूढ़ा बिंच' कहते हैं, क्योंकि सालों से तीन बूढ़े, हिलते-डुलते-लँगड़ाते पार्क का चक्कर लगाने के बाद इस पर आकर बैठ जाते हैं। बातचीत करते हुए उनकी नज़रें इसी गुम्बद पर टिकी रहती हैं। अंग्रेज़ी में बात करने वाले बाबू लोग इनको 'सनसेट क्लब' के नाम से पुकारते हैं, क्योंकि ये तीनों सूरज डूबने के समय ही इस बेंच पर आकर बैठते हैं। ये तीनों

अस्सी के आखिरी सालों में चल रहे हैं, जो उनकी ज़िन्दगी के लिए भी सूरज डूबने का समय है।

~

मैं सनसेट क्लब के इन सदस्यों से आपका परिचय कराता हूँ। सबसे पहले आते हैं पण्डित प्रीतम शर्मा, क्योंकि उम्र में भी वे ही सबसे बड़े हैं। आप पंजाबी ब्राह्मण हैं, आक्सफोर्ड के ग्रेजुएट हैं, लन्दन और पेरिस में सांस्कृतिक सहायक रहे हैं और रिटायर होने से पहले शिक्षा मन्त्रालय में सर्वोच्च पद तक पहुँच चुके हैं। इनका स्वास्थ्य अच्छा है, सामने से गंजे हैं लेकिन कँधों के इर्द-गिर्द सफेद बालों के गुच्छे गोलाइयाँ लिए लटकते नज़र आते हैं। इनसे ये विद्वान नज़र आते हैं। यूं तो सेहत सही है लेकिन पढ़ने के लिए चश्मे का इस्तेमाल करते हैं, सुनने के लिए मशीन का और खाने के लिए ऊपर से लगे दाँतों का। आयुर्वेद और होम्योपैथी में विश्वास है। यद्यपि आपके जीवन में विदेशी और भारतीय स्त्रियों का आना-जाना लगा रहा है, लेकिन किसी एक से शादी करके घर बसाना चूक गये। अपनी ही तरह आप कुँवारी बहन के साथ रहते हैं, जो उम्र में लगभग बीस साल छोटी है और एक स्वयंसेवी संस्था में काम करती हैं। ये खान मार्केट के बगल में एक फ्लैट की पहली मंज़िल पर रहते हैं। इसमें दो बेडरूम और दो बाथरूम हैं, एक बड़ा ड्राइंग-डायनिंग रूम है, एक पढ़ने-लिखने का कमरा और दो वरांडे हैं।

ड्राइंग रूम की एक दीवार से लगी एक अलमारी में किताबें भरी हुई हैं, जो उन्होंने न पढ़ी हैं और न जिन्हें वे पढ़ना चाहते हैं। लेकिन इनसे बाहरवालों को यह भ्रम होता है कि ये ज्ञानी आदमी हैं। दूसरी दीवारों पर पेंटिंग्स लगी हैं जो रिटायर होने के बाद आपने ही बनाई हैं। खुद इनके अलावा कोई यह नहीं जानता कि इनमें क्या बनाया गया है, लेकिन लोगों पर इनके सुसंस्कृत व्यक्ति होने का असर पड़ता है। आप

मुक्त छन्द में लम्बी-लम्बी कविताएँ भी लिखते हैं। खान मार्केट में इन्होंने खुद उन्हें छपवा लिया है और मिलनेवालों को उसकी प्रतियां बड़ी उदारता से देते हैं। शिक्षा मन्त्रालय में सर्वोच्च पद तक पहुँचने के कारण आप अनेक सांस्कृतिक और सामाजिक संस्थाओं तथा स्कूलों के बोर्डों के सदस्य हैं। आप बहुत अच्छे अध्यक्ष भी हैं क्योंकि आपके वक्तव्य गम्भीर होते हैं, जैसे संस्कृति की कोई सीमाएँ नहीं होतीं, सारे धर्म प्रेम तथा सत्य का पाठ पढ़ाते हैं, इत्यादि, इत्यादि। आपका कोई शत्रु नहीं है। जो भी स्त्री-पुरुष आपको जानते हैं, आपसे प्रेम करते हैं। साथ देने के लिए आपके पास कई एप्सो कुत्ते रहे, जिन्हें डब्बू एक, दो और तीन नाम दिये गये हैं। आपके पास एक गाड़ी और शॉफर है जो एक स्कूल ने, जिसके वे चेयरमैन हैं, उन्हें दिए हैं। इसमें वो खुद, नौकर पवन और डब्बू तीन सवार होकर लोदी गार्डन के उत्तरी दरवाज़े तक जाते हैं। पहले वे पार्क का एक चक्कर लगाते हैं, नौकर और डब्बू उनके पीछे चलते हैं, और इसके बाद वे 'बूढ़ा बिंच' पर आकर बैठ जाते हैं। उनका नौकर और कुत्ता दोनों उनके पीछे घास पर जम जाते हैं।

दूसरे हैं नवाब बरकतुल्ला बेग देहलवी। आप सुन्नी मुसलमान हैं जिनके पठान-पुरखे अंग्रेज़ों के भारत पर कब्जा करने से पहले यहाँ आकर बस गए थे। ये सैनिक होने के साथ-साथ यूनानी इलाज भी करते थे। इन्हें निज़ामुद्दीन कें पास रहने को ज़मीन मिल गई थी। बरकतुल्ला ने पुराने शहर में कई यूनानी दवाखाने खोल दिये थे, लेकिन वे निज़ामुद्दीन के अपने काफी बड़े घर में रहना ही पसन्द करते थे। इस हवेली का नाम बेग मंज़िल है। इसमें बहुत से कमरे, वरांडे और सामने बहुत बड़ा बाग है, और पीछे नौकरों के लिए क्वार्टर हैं। बेग को किताबों में रुचि नहीं है, उन्होंने स्कूल और कॉलेज के बाद ही इनसे अपना नाता खत्म कर दिया। इनके पास उर्दू शायरों के कई दीवान हैं, और मुगलकाल के बहुत से नायाब नमूने हैं, जो दीवारों पर सजाकर लगाये हुए हैं। आप

छह फुट लम्बे तगड़े व्यक्तित्व हैं, बाल सफेद हो चुके हैं, पतली नुकीली मूँछें हैं और करीने से तराशी छोटी-सी दाढ़ी है।

धनीमानी परिवारों के सभी अच्छे मुसलमानों की तरह बेग भी अपने पिता का व्यापार सँभालने से पहले, और उनके देहान्त के बाद उनकी हवेली का मालिक बनने से पहले, पढ़ने के लिए अलीगढ़ मुस्लिम यूनिवर्सिटी गये। अपनी रिश्तेदार सकीना से उनकी शादी हुई। इनसे बच्चों का एक झुण्ड पैदा हुआ। लेकिन कभी-कभार वेश्याओं के मशहूर बाज़ार, चावड़ी बाजार जाने, और जवानी के दिनों में कभी-कभी अपनी बीवी की नौकरानियों के साथ हम-बिस्तर होने के अलावा, आप उनके भरोसेमन्द शौहर साबित हुए हैं। 1947 में देश का बँटवारा होने के बाद वे भारत में ही बने रहे, फिर कांग्रेस पार्टी में शामिल हो गए और नेहरू-गाँधी वंश के समर्थक बने रहे। पिछले चालीस बरस से वे लोदी गार्डन में नियमित रूप से घूमते रहे हैं। उनकी मर्सीडीज़-बेंज़ का शोफ़र उन्हें पार्क के दक्षिणी द्वार पर लाकर छोड़ देता है। वे खण्डहरों का चक्कर लगाते हैं, उनके पीछे व्हील चेयर चलाता उनका नौकर घूमता रहता है, अन्त में वे बड़े गुम्बद के सामने पड़ी इस बेंच पर आकर बैठ जाते हैं। अस्सी की उम्र में चलते हुए भी बेग अच्छे तन्दुरुस्त हैं, वे न चश्मा लगाते हैं, न सुनने के लिए मशीन का इस्तेमाल करते हैं और न खाने के लिए नकली दाँत लगाते हैं—हाँ, कभी-कभी हाँफने ज़रूर लगते हैं।

तीसरे हैं सरदार बूटा सिंह। आप काफी हृष्ट-पुष्ट सिख हैं, सिर्फ पेट निकला हुआ है। सिर पर बिखरे हुए बाल बर्फ की तरह सफेद हो गये हैं। छह गज़ लम्बी पगड़ी बाँधने की जगह आप रुई या ऊन की टोपी लगाते हैं। दाढ़ी पर खिज़ाब लगाते हैं और 86 साल की अपनी उम्र से जवान लगते हैं। आपको कई बीमारियाँ लगी हैं, जैसे स्थायी बदहज़मी, कठिन डायबिटीज, अस्थिर रक्तचाप, बढ़े हुए गुर्दे और गठिया। आप स्कूल के दिनों से चश्मा लगाते हैं, नकली दाँत लगाते हैं क्योंकि नीचे के सब दाँत गिर चुके हैं, और कुछ सालों से सुनने की मशीन का

भी इस्तेमाल करने लगे हैं। वे अपने को अनीश्वरवादी कहते हैं लेकिन हर दिन सवेरे जब चार बजे उठते हैं, पहले ओइम् आरोग्यम् का कई बार जाप करते हैं, फिर गायत्री मंत्र और उसी के साथ सब दुख-कष्टों को दूर रखने वाली सिख प्रार्थना का भी गायन करते हैं। वे अपनी प्रार्थनाओं और अनीश्वरवादी धारणाओं का विरोध यह कहकर स्पष्ट करते हैं—"कौन जाने! कहते हैं कि प्रार्थना चमत्कार करती हैं। इनका उपयोग करने में कोई नुकसान नहीं है।"

लेकिन प्रार्थनाएँ उनकी मदद करती नज़र नहीं आतीं, इसलिए तड़के सवेरे से रात को भोजन के बाद तक वे तमाम तरह की गोलियाँ खाते रहते हैं।

बूटा ने उच्च शिक्षा इंग्लैण्ड में प्राप्त की और दिल्ली वापस लौटने से पहले लन्दन और पेरिस के दूतावासों में काम किया—यहाँ वे अखबारों में लेख लिखने लगे। वे शर्मा जी के पास ही एक फ्लैट में रहते हैं। उनके कमरे की दीवारों पर किताबें लगी हुई हैं, कहानी-उपन्यास, कविताओं के संकलन, जीवन-चरित्र और प्रतिबंन्धित अश्लील पुस्तकें। उद्धरणों की किताबें और कविताओं के संकलन, उर्दू और अंग्रेज़ी दोनों भाषाओं में, उन्हें बहुत प्रिय हैं। उन्हें बहुत सी कविताएँ ज़बानी याद हैं और वे प्रत्येक अवसर के लिए मौजूँ कविता तुरन्त सुना देते हैं। लोग समझते हैं कि वे बड़े विद्वान हैं, लेकिन वे खुद जानते हैं कि वे काफी धोखेबाज़ भी हैं।

बूटा विधुर हैं और उनके दो बच्चे हैं। बेटा कनाडा रहने चला गया है। बेटी भी विधवा हो गई है और अपनी बेटी के साथ पड़ोस में ही रहती है। वे अकेले रहते हैं लेकिन अकेलापन महसूस नहीं करते; शाम को जब वे अपनी शराब की अलमारी खोलते हैं, तब उनके यहाँ स्त्रियों की लाइन लग जाती है। वे काफी बातूनी हैं और हँसी-मजाक भी करते हैं। औरतों पर अपनी विजय की ऐसी चटपटी कहानियाँ सुनाते हैं, कि लोग सुनते ही रहते हैं। गंदी ज़बान का इस तरह इस्तेमाल करते हैं, जैसे इस पर उनका जन्मसिद्ध अधिकार हो। जब वे गप-शप से थक जाते हैं तो कहते हैं, अब सब दफा हो जाओ। यदि कोई आदमी उन्हें पसन्द

नहीं आता तो वे उसे 'फुद्दू' कहते हैं—जो पंजाबी का अश्लील शब्द है। हर आदमी को जिसमें वे स्वयं भी शामिल रहते हैं, वे 'चूतिया' कहते हैं। हर शाम वे गाड़ी चलाकर इण्डिया इण्टरनेशनल सेंटर जाते हैं। वहाँ घण्टा भर बैठकर कॉफी के सिप लेते हैं, फिर कोस मीनार के रास्ते पूर्वी दरवाज़े से लोदी गार्डन चले जाते हैं। पहले पार्क के दो चक्कर लगाते हैं, फिर बड़े गुम्बद के सामने पड़ी बेंच पर अपने साथियों के पास जाकर बैठ जाते हैं।

~

इन तीन लोगों का सनसेट क्लब कब और कैसे बना, यह एक लम्बी कहानी है। शर्मा और बूटा एक-दूसरे को लाहौर के दिनों से जानते थे, और संयोग कुछ ऐसा हुआ कि लंदन और पेरिस दोनों स्थानों में भी एक-दूसरे की नियुक्ति करीब-करीब एक साथ ही हुई। दिल्ली आए तो लोदी गार्डन में हर शाम मिलने लगे। शर्मा को महत्त्वपूर्ण व्यक्तियों से मिलना अच्छा लगता था। बूटा की पेड़ों और पक्षियों में रुचि थी। बेग इन दोनों में से किसी को नहीं जानते थे। सालों तक वे एक-दूसरे के अगल-बगल से गुज़रते रहे। कुछ समय बाद इन्होंने परिचय में हाथ उठाने शुरू कर दिये। कुछ और समय बाद, जब वे एक ही बेंच पर एक-दूसरे के साथ बैठने लगे, तो बाकायदा परिचय लिया-दिया गया। फिर तीनों दोस्त बन गये और सनसेट क्लब की नींव पड़ी।

~

26 जनवरी 2009 की शाम को लोदी गार्डन में पहले दिनों की अपेक्षा ज़्यादा भीड़ थी। इसके बहुत से मैदानों में स्त्री-पुरुष घास पर आराम से बैठे हैं। हर ग्रुप के इर्द-गिर्द कप और कागज़ की प्लेटें बिखरी पड़ी

हैं और कुत्ते पूँछ हिलाते हुए बचे हुए खाने की तलाश में इधर-उधर मुँह मार रहे हैं।

सनसेट क्लब के सदस्य तीनों बूढ़े एक के बाद एक वहाँ आते हैं और 'बूढ़ा बिंच' पर आसन जमा लेते हैं। फिर तीनों अपने हाथ एक दूसरे के साथ जोड़कर यह जताने का प्रयत्न करते हैं कि ज़िंदगी ठीक चल रही है। फिर वे कहते हैं, "आओ, सब ठीक-ठाक है न?' और एक-दूसरे का अभिवादन करते हैं। शर्मा जवाब में कहते हैं, "भगवान की दया है।" बेग फरमाते हैं, "अलहमदुल्लिाह—अल्लाह की मेहरबानी है।" और बूटा कहते हैं, 'चल रहा है।' बेग बातचीत की शुरुआत करते हैं, "गणतन्त्र दिवस मुबारक हो!" शर्मा उन्हीं शब्दों में जवाब देते हैं, "आपको भी मुबारक हो!" बूटा खटास-भरे शब्दों में कहते हैं—"मुबारक देने की क्या बात है? हमने अपने देश का कबाड़ा बनाकर रख दिया है। हत्या, कत्लेआम, बलात्कार, भ्रष्टाचार, डाके—जैसे पहले कभी नहीं पड़ते थे। शर्म की बात है।"

बेग ने विषय बदलने की कोशिश की। "आज टी.वी. पर परेड देखी? मैं कभी नहीं छोड़ता।"

"मैं भी हमेशा देखता हूँ।" शर्मा ने कहा "भव्य प्रदर्शन! अपने भारतीय होने पर गर्व होता है।"

"साल दर साल यही सब दिखाया जाता है, करोड़ों रुपये यमुना में बहा दिए जाते हैं।" बूटा ने तल्ख़ी से कहा।

बेग ने विरोध के लहज़े में कहा, "हर साल वही सब नहीं होता। इस दफ़ा प्रधानमन्त्री दिल की सर्जरी के कारण अस्पताल में थे, इसलिए वे शामिल नहीं हुए। यह पहली दफ़ा है कि कज़ाकिस्तान के राष्ट्रपति सम्मानित मेहमान के नाते इसमें शामिल हुए हैं।"

बूटा ने फ़िकरा कसा, "देखा नहीं, कितने बोर लग रहे थे। ज़्यादा वक्त उनकी आँखें बन्द रहीं, जैसे सो रहे हों।"

"अरे भाई," बेग ने विरोध किया, "उनकी आँखें बन्द नहीं थीं। वे मंगोल हैं, उनकी आँखें चीनियों की तरह सँकरी होती हैं।"

"बूटा, तुम्हें यह याद नहीं रहता कि साल भर में यह अकेला अवसर है जिसका सारा देश इन्तज़ार करता है।" शर्मा ने झुँझलाकर कहा, "हमारे अनेक धर्मों, भाषाओं और जातियों में यही एकता की भावना पैदा करता है।"

"ठीक है, ठीक है, भाई, चलो, तुम्हीं जीते। एक के खिलाफ दो। तुम दोनों को गणतन्त्र दिवस मुबारक हो।" बूटा ने तल्खी-भरे लहजे में ज़ोर देकर कहा।

"और नया क्या है?" बेग पूछते हैं।

"नया यह है कि पिछली रात मुझे स्वप्न दोष हुआ। तुम हकीम हो, मुझे बताओ कि इस उम्र में मुझे यह होना सही है?"

बेग जवाब देने से पहले विचार करते हैं, फिर कहते हैं, "तुम्हें बदहज़मी रही होगी। बदहज़मी का अक्सर यही नतीजा होता है।"

बूटा यह सुनकर चकित रह जाता है। "मेरा पेट हमेशा से खराब रहा है। कॉलेज छोड़ने के बाद से मैं हमेशा दस्त की गोलियाँ लेता रहा!"

"तुम्हें पेट में गैस की शिकायत है?" बेग ने सवाल किया।

"हाँ, बहुत ज़्यादा। इस बारे में तो मैं लाचार हूँ।"

बूटा ने बेग को आधी ही सच्चाई बतायी। पूरी सच्चाई यह है कि वह इसके बारे में कुछ इसलिए नहीं करना चाहता, क्योंकि उसे पाद मारने में मजा आता है। बीवी की मौत ने उसे यह आजादी बख्श दी–अब अच्छा व्यवहार करना उसके लिए ज़रूरी नहीं रहा। जब भी वह अकेला होता है, शुरू हो जाता है–भूम, झटास, फुसाना। और जो नीचे से निकलता है, उसे सूँघना उसे और भी अच्छा लगता है। वह कहता है, "शाम तक मेरे पेट में गैस भरी रहेगी। फिर जब स्कॉच लूँगा, तो शान्ति मिलेगी।"

"मैं यह बात कहना तो नहीं चाहता, लेकिन तुम अच्छे प्रेमी नहीं

रहे होंगे। जिन लोगों को गैस की शिकायत रहती है, वे बिस्तर में कमज़ोर साबित होते हैं। मैं ठीक कह रहा हूँ न?"

"कुछ और बात करो।" शर्मा ने कहा। "दिमाग़ पर हमेशा सेक्स सवार रहना ठीक नहीं है। यह सेहत के लिए खराब है, खासतौर पर इस उम्र में, जब आप बुढ़ा गये हैं और कुछ कर नहीं पाते।"

"ठीक है भाई, हम कल शाम तक के लिए यह चर्चा मुलतवी करते हैं।" बूटा ने जवाब दिया। "अब ईश्वर के बारे में और यहाँ से बाद की ज़िन्दगी के बारे में बात करें, जिसके बारे में हम कुछ नहीं जानते।"

अब तक सूरज बड़े गुम्बद के पीछे चला गया था। हल्की ठण्ड महसूस होने लगी थी। फुटपाथ की रोशनियाँ जल उठीं और गुम्बद प्रकाश में डूब गया। बेग के नौकर ने साहब के पैरों पर कम्बल डाल दिया। बोला, "साहब, अब सर्दी बढ़ रही है। घर चलिए।" उसकी आवाज़ अधिकार से भरी है। "देखिए, सब चले गए हैं।"

तीनों उठकर खड़े हो जाते हैं। शर्मा कहते हैं, "चीरियो!" बूटा कहते हैं, "आराम से सोइये।" बेग कहते हैं, "अल्लाह हाफिज़!" वे जिस रास्ते से आए थे, उसी से वापस लौट जाते हैं।

~

शर्मा अपने फ्लैट में वापस आते हैं, पीछे-पीछे डब्बू तीन और नौकर आते हैं। डब्बू तीन दो दफ़ा भूँककर अपने आगमन की सूचना देता है, शर्मा की बहिन सुनीता हमेशा के शब्द बोलकर दरवाज़ा खोलती हैं, 'आ गये!' शर्मा कोई जवाब नहीं देते, बस, घड़ी कोने में टिकाकर गद्देदार कुर्सी में बैठ जाते हैं। अँगीठियों में आग के कुंदे जल रहे हैं, उन्हें गरमाहट पसन्द है। नौकर उनके जूते उतारता है और ऊनी स्लीपर पैरों में सरका देता है।

"हू-हू वाज़ देयर?' सुनीता अंग्रेज़ी में पूछती है। शर्मा का पारा चढ़ जाता है। "मैंने तुमसे कितनी दफ़ा कहा है कि हू-हू मत कहा करो। एक हू काफी है।"

सुनीता भड़ककर कहती है! मैं बैलिओल पढ़ने नहीं गई थी। यहीं हिन्दू कॉलेज में पढ़ी हूँ। कौन-कौन के लिए हू-हू इसमें क्या गलत है?"

"यह अंग्रेज़ी नहीं है। जब अंग्रेज़ी बोलो तो अंग्रेज़ी ही बोलो, हिन्दी बोलो तो हिन्दी। दोनों की खिचड़ी मत पकाओ।"

"अच्छा, भाई, हू वाज़ देयर?"

"बूटा और बेग।"

"क्या बातें की?"

"बस, इधर-उधर की।"

सुनीता भांप गई कि वह बात करने के मूड में नहीं है। "मेरा ख्याल है कि बूटा यहाँ नहीं आएँगे। वह हमेशा फ्री ड्रिंक की फ़िराक में रहते हैं। उनकी ज़बान भी काफी गन्दी है। हिज़ सर्वेन्ट सेज़ ही डज़ नॉट बेथ फॉर टू-टू थ्री-थ्री डेज़। ही मस्ट स्मेल।"

"फिर टू-टू थ्री-थ्री डेज़। तुम कभी नहीं सीखोगी।"

सुनीता ने बहस खत्म करने की कोशिश की। "यू टेक इट फ्रॉम मी, दिस इज़ दि काइंड ऑफ़ इंग्लिश। वी इंडियन्स विल स्पीक–हिंगलिश।"

पवन एक बड़े गिलास में ह्विस्की, सोडा और बर्फ के दो टुकड़े निकालता है और उसे मालिक की कुर्सी की बगल में एक मेज़ पर रख देता है। वहाँ एक तश्तरी में मूँगफली पहले से रखी है। सुनीता पीठ मोड़कर नौकरों की तरफ कर लेती है, जहाँ उनकी बीवियाँ और बच्चे भी टी.वी. का एक सीरियल देख रहे हैं।

शर्मा ह्विस्की-सोडा के दो घूंट लेते हैं और पैर फैलाकर आँखें बन्द कर लेते हैं। वे बूटा के स्वप्न दोष पर विचार करने लगते हैं। उन्हें कभी बदहज़मी की शिकायत नहीं रही। सच्चाई यह है कि वे अक्सर बूटा से शेखी बघारते थे कि उनका पेट घड़ी की तरह काम करता है; हर सवेरे

दो बार जाना, एक बार नाश्ते से पहले, एक बार बाद में। हर दफ़ा जाते हुए वे फ्रेंच में अपने इर्द-गिर्द के लोगों को बताते—ये दो शब्द उन्होंने छह साल के अपने पेरिस निवास के दौरान सीख लिये थे; डुक्सि एम फोआ—दूसरी बार। इसके बावजूद एक स्त्री से उनका पहला सम्पर्क करीब-करीब असफल रहा। मानसून के दिन थे। उस दिन उन्हें दफ्तर में हमेशा से ज़रा ज़्यादा देर लगी, क्योंकि फाइल मन्त्री को भेजनी थी। जब काम खत्म हुआ, अँधेरा हो चुका था। जब वे सेक्रेटेरिएट की इमारत से बाहर निकल रहे थे, उन्हें भीड़ में अपनी डिप्टी सेक्रेटरी दिखाई दी, जो बारिश रुकने का इन्तज़ार कर रही थी। उन्होंने अक्सर उस लड़की के साथ हँसी-मजाक किया था।

"लक्ष्मी, तुम्हें लिफ्ट दे सकता हूँ? बारिश हो रही है।" उन्होंने पूछा। उसने एक मुस्कान दी और जवाब दिया, "जी हाँ, मैं भीगना नहीं चाहती।" एक चपरासी ने छाता खोला और दोनों को शर्मा की दफ्तर की कार की ओर ले गया। शर्मा थके हुए थे। उन्होंने पैर फैला लिये और दाहिना हाथ बढ़ाकर लक्ष्मी की सीट पर उसके सिर के पीछे रख लिया। फिर उनका हाथ उसके कँधे पर आ गया। उसने चेहरा घुमाया और शर्मा के ओठों पर चूम लिया। पहले तो वे चौंक गये, फिर जोर-शोर से जवाब देने लगे। शर्मा इससे ज़्यादा सेक्स के पास कभी नहीं पहुँच सके।

शर्मा को झपकी आने लगती है, उनका सिर सीने पर आ पड़ता है। सुनीता यह देखकर पूछती है, "खाना यहीं खाओगे या मेज़ पर दें।"

"यहीं।"

उनका नौकर उबले हुए चावल, दाल, और दो करेले लेकर आता है और खाना मूँगफली की प्लेट के बगल में रख देता है। शर्मा को वह खाना कभी पसन्द नहीं आता जो सुनीता उसे देती है, लेकिन उसने शिकायत करना बन्द कर दिया है, क्योंकि तब वह उसी का उपदेश उसे देने लगती है—"सादा जीवन, उच्च विचार।" इसलिए वह उसे स्वादहीन

लेकिन पेट भरू भोजन देती है। शर्मा अपनी ह्विस्की खत्म करते हैं, खाना पेट में डालते हैं बाथरूम में जाकर कुल्ला करते हैं, पेशाब करते हैं, और फिर बिस्तर पर जा पड़ते हैं। इस तरह उनकी शामें बोरिंग ढंग से गुज़रती रहती हैं।

~

बूटा घर लौटते हैं, तो वहाँ भी आग जल रही है, और एक ट्रे में उनकी सिंगिल माल्ट ह्विस्की, सोडा और बर्फ के टुकड़े मेज़ पर उनका इन्तज़ार कर रहे हैं। वे क्रिस्टल ग्लास के कप में, जिसका वे अपने लिए ही इस्तेमाल करते हैं, डबल पटियाला ढालते हैं और उसमें बर्फ और सोडा मिलाते हैं। फिर काजू और मूँगफली के दाने मुँह में डालकर चबाते हैं, उसमें ह्विस्की का एक घूँट मारकर मुँह में चारों ओर जीभ से चलाते हैं और धीरे-धीरे गले से नीचे उतारना शुरू करते हैं। वे जानना चाहते हैं कि शराब उनकी आँतों में किस तरह पहुँचती है। जब उनका पेट खाली होता है, उन्हें इसका उतरना महसूस होता है; खाली नहीं होता, तो नहीं होता। कुछ मिनट के लिए वे टी.वी. चला देते हैं चीतों को हिरनों के पीछे भागते हुए देखते हैं, फिर किसी आस्ट्रेलियन को मगरमच्छ तथा लम्बे-चौड़े साँपों से उलझते देखते हैं, फिर टी.वी., बन्द करके आँखें मूँद लेते हैं और युवावस्था की स्त्रियों की यादों में खो जाते हैं। वे बहुत सफल प्रेमी तो नहीं थे लेकिन जितनी तरह की स्त्रियाँ उन्होंने भोगीं, वह प्रभावशाली है—सफेद, भूरी, काली, कनाडियन, अमेरिकन, जर्मन, फ्रेंच और देश के सभी भागों से स्त्रियाँ—ईसाई, यहूदी, हिन्दू, मुस्लिम, सिख। इनमें से कुछ ही मुठभेड़ें अब उन्हें याद हैं, बाकी सब भूल-भाल गई हैं।

एक संबंध उन्हें बार-बार याद आता है। वे मित्रों के साथ इंग्लैण्ड में ठहरे हुए थे। उनके यहाँ बेटी के लिए एक युवा अंग्रेज़ गवर्नेस थी। क्रिसमस चल रहा था। उनके मित्र और बेटी किसी से मिलने गए हुए

थे। वह सोफे पर लेटे हुए थे कि गवर्नेस उनके लिए शेरी का एक गिलास लाई। दोनों ने एक-दूसरे को 'मैरी क्रिसमस' कहा और गालों पर हलके चुम्बन लिये-दिये। यह शुरुआत थी। मेजबान कुछ मित्रों के साथ वापस आये, बड़े दिन की दावत के लिए भुना हुआ गोश्त, फ्रेंच शराब, रम से लबालब पुडिंग, फिर कोन्याक और ड्रामबुए। शाम तक सब पर सुरूर छाने लगा। उन्होंने सबको 'गुडनाइट' कहा और ऊपरी मंजिल पर अपने कमरे में आ गये। इसी के बगल में गवर्नेस का कमरा था। कुछ देर बाद उन्होंने सुना कि वह अपने कमरे में वापस आ गई है। उन्हें नींद नहीं आ रही थी। वह दबे पाँव उसके कमरे की तरफ बढ़े। जैसे वह उनका इन्तज़ार कर रही थी; उसने उन्हें अपने बिस्तर पर जगह दे दी। वह उसके ऊपर चढ़े और ओंठों पर ओंठ जमा दिये। धीरे-धीरे दोनों एक दूसरे में समाते चले गए। बड़ी देर तक शान्ति से पड़े रहे, जैसे स्वर्गिक सुख भोग रहे हों। देवी कृपा से कुछ नहीं हुआ। वे इस नतीजे पर पहुँचे कि जो लोग अंग्रेज़ औरतों को ठण्डी बताते हैं, उन्होंने उनका कभी उपभोग ही नहीं किया होता। इसके बाद उन्होंने जगह-जगह मिलना शुरू कर दिया और हर बार सम्भोग किया।

बूटा की पत्नी ने खाने की मेज का अच्छा विकास किया था। वह कुकरी की बहुत सी किताबें पढ़ती थी--फ्रेंच, इटालियन, चायनीज़ और हिन्दुस्तानी। वह रसोइए को आधे घण्टे तक बताती थी कि क्या और कैसे बनाए। वह भी पाक कला का विशेषज्ञ बन गया था। पत्नी को गुज़रे आठ साल बीत चुके थे लेकिन रसोइया उन्हीं के साथ था और हर शाम उनके लिए बढ़िया खाना तैयार करता था। बूटा खाने के शौकीन हैं, फिर एक गिलास फ्रेंच वाइन पेट में डालते हैं और इसके ऊपर एक हाज़मे की गोली चढ़ा लेते थे। इसके अलावा भी वे अपनी उम्र की बीमारियों के लिए एक दर्जन गोलियाँ रोज़ खाते हैं। इसके बाद वे सोने चले जाते हैं। वे गहरी नींद नहीं सो पाते क्योंकि रात में कई दफा ब्लैडर खाली

करने के लिए जाना पड़ता है। फिर भी वे चार बजे जाग जाते हैं और अगले दिन का काम शुरू कर देते हैं।

~

जब तक बेग की मर्सीडीज बेंज़ निजामुद्दीन पहुँचती है, सड़क की रोशनियाँ जल जाती हैं। हजरत निज़ामुद्दीन की दरगाह में, जहाँ हर मजहब के लोग जाते हैं, मशहूर शायर अमीर खुसरो और मिर्ज़ा गालिब के भी मकबरे हैं और चारों तरफ बाजार हैं, जिनमें भीड़ लगी रहती है। बेग की गाड़ी मुख्य दिल्ली—आगरा रोड से मुड़कर धनीमानी लोगों की बस्ती, निजामुद्दीन वेस्ट में चली जाती है। उनकी गाड़ी की रोशनियाँ फाटक के दोनों ओर लगी संगमरमर की पट्टियों पर पड़ती हैं, जिनमें से एक पर अंग्रेज़ी में लिखा है 'बेग मंज़िल' और दूसरी पर अरबी में 'हदा बिन फ़ज़ले रबी' यानी खुदा के फ़ज़्ल से। इमारत के ऊपर एक गोल संगमरमर का टुकड़ा लगा है जिस पर अरबी में 786 अक्षर लिखे हैं। अल्लाह वाकई में बेग परिवार पर मेहरबान रहा है। दोमंजिला मकान रोशनी से जगमगा रहा है। लोग इसे बेग का 'दौलतख़ाना' कहते हैं—यानी पैसे का घर, लेकिन वे खुद इसे 'गरीबखाना' यानी गरीबों का घर कहते हैं।

बेगम सकीना वरांडे में उनका इन्तज़ार कर रही हैं। उन्हें बैठने के कमरे में ले जाया जाता है। कोयले की आग जल रही है, उनकी आराम कुर्सी पर उनका भारी-भरकम शरीर सँभालने के लिए एक तकिया पड़ा है, सामने एक मूढ़ा रखा है जिस पर वे अपने पैर रख लेते हैं और बगल में एक छोटी-सी मेज़ पर ब्लैक लेबिल स्कॉच की एक बोतल, एक बड़ा गिलास, बर्फ के टुकड़े और एक प्लेट में शामी कबाब रखे हैं। सकीना बेगम उन्हें आराम से बैठते हुए देखती हैं, फिर दोनों नौकरानियों को बुलाकर उनके पैर दबाने का आदेश देकर बगल के कमरे में घुस जाती हैं, जहाँ

से वे चारों तरफ की देखभाल करने के साथ-साथ टी.वी. पर अपना प्रिय सीरियल 'सास-बहू' भी देखती रह सकती हैं। उन्हें अपने शौहर का शराब पीना पसन्द नहीं है क्योंकि कुरान-शरीफ़ में इसकी मुमानियत की गई है, लेकिन इस बारे में वे चुप रहना ही बेहतर समझती हैं।

बेग एक बड़ा-सा पेग ढालते हैं, नौकर उसमें सोडा और बर्फ डालता है। वे ह्विस्की-सोडा की एक लम्बी चुस्की लेते हैं, कबाब मुँह में रखते हैं और मूढ़े पर अपने पैर पसार देते हैं। नौकरानियाँ उनके दोनों तरफ उकड़ूँ बैठकर उनके पैर दबाने लगती हैं। दिन भर में उनका यही काम है और वे अच्छी मालिश करने लगी हैं। पहले वे पैर लेती हैं। अपने अंगूठों से उनके तलवे दबाती हैं, फिर एक-एक उँगली को अलग-अलग धीरे-धीरे मसलती हैं। इसके बाद हथेलियों से पिंडलियाँ दबाती हैं, और पैरों पर वापस आ जाती हैं। जब तक रुकने को न कहा जाए, दबाती रहती हैं। बेग जैसे एक दूसरी दुनिया में पहुँच जाते हैं। स्वर्ग में भी उन्हें इससे ज़्यादा क्या मिलेगा—बढ़िया स्कॉच और पैर दबाती हुई हूरें। फिर स्वर्ग तो आदमी की बनाई अपनी कल्पना हैं, जबकि यह एकदम सच्चाई है।

लेकिन वे जानते हैं कि ये आराम भी ज़्यादा दिन चलने वाले नहीं हैं, क्योंकि बुढ़ापा ज़िन्दगी की खुशियों को छीन लेता है।

गालिब बेग के प्रिय शायर थे : डटकर पीने वाले, औरतों के आशिक, सिर्फ जुमे के दिन नमाज़ पढ़ने वाले और रमजान में भी रोज़े न रखने वाले। फिर भी, सिर्फ मुसलमान ही नहीं बल्कि दुनिया के सब उर्दू जानने वाले उन्हें सबसे बड़े शायरों में एक मानते हैं।

सचमुच उनकी जवानी कहाँ गायब हो गई? उन्हें अपनी शादी के बाद के दिन याद आने लगे। उनकी उम्र अठारह थी, सकीना की सोलह। दोनों बचपन में साथ खेले थे, युवा होते हुए एक-दूसरे को चिढ़ाते थे। उन्होंने उसकी उभरती हुई छातियों और गोल होते कूल्हों का जायज़ा लिया

था। पहली ही रात अकेले हुए तो असली काम में लग गये। सकीना उन्हें बड़कू भैया कहकर बुलाती थीं और वे उसे 'सक्की' कहते थे। लेकिन एक ही रात में वे 'जानू' हो गये और सकीना हो गई 'बेगम'।

कितना सुख था, कितना आनन्द। फिर, जैसी उम्मीद थी, दूसरे महीने वह गर्भवती हो गई। उसे सवेरे बुखार आने लगा और वह हफ्ते भर आराम करने अपने मायके चली गई।

बेग के लिए यह अरसा काफी लम्बा था। सेक्स उनके लिए ज़रूरी हो गया था। इसलिए उन्होंने एक-एक करके नौकरानियों का इस्तेमाल शुरू कर दिया—एक सवेरे जब वह चाय लेकर आती थी, दूसरी शाम को सोने से पहले जब वह दूध का गरम गिलास भरकर लाती थी। लड़कियाँ कर्तव्य समझकर यह काम करती थीं और उन्हें भी इसमें कोई नैतिक परेशानी महसूस नहीं होती थी। इसके बाद भी जब-जब उनकी बीवी मायके जाती, या बच्चा जनने के लिए वहाँ गई, वे हमेशा इस सेवा का लाभ उठाते रहे।

कभी-कभी वे वेश्याओं का मुजरा देखने चावड़ी बाज़ार भी जाते थे। मुजरा खत्म होने पर किसी एक के साथ सो भी लेते। वे उन्हें अच्छी रकम देते थे। सकीना की छठी इन्द्रिय अपने शौहर की कारगुजारियों के बारे में काफी तेज़ थी, लेकिन उसने कभी कुछ नहीं कहा। जब तक वे दूसरी बीवी घर में न लाते, उसे यह मंजूर था। नवाब, राजाओं और बड़े व्यापारियों का यही ढंग होता था। बेग नवाब और पैसे वाले दोनों ही थे।

बेग की यादों में बेगम के सवाल से खलल पड़ता है, "खाना?"

"हाँ", वे कहते हैं।

बगल की मेज़ से व्हिस्की, सोडा और गिलास हटा दिए जाते हैं। एक बड़ी मेज़ सामने आती है जिसमें दो प्लेटें रखी हैं। सकीना बेगम खाने में साथ देती हैं।

"आज क्या गप-शप रही?" वे पूछती हैं।

"बेगम, आपके सुनने की बातें नहीं हैं। वह सरदार जो ज़बान बोलता है, भले लोगों में नहीं बोली जाती। ज़्यादातर औरतों पर अपनी चढ़ाइयों की कहानियाँ सुनाता है।"

"छी! छी! आप उससे बातें ही क्यों करते हैं?"

"उसकी बातें होती मज़ेदार हैं। उर्दू शायरी भी खूब जानता है।"

नौकरों की कतार मेज़ पर खाना परोसती है। केसर में बनी मटन बिरयानी, तीन तरह की मटन और चिकेन की सब्जियाँ, बघार दिया बैंगन, हैदराबादी ढंग से बनाया हुआ, चपातियाँ और नान। हर रात शाही खाने की तरह सकीना उनकी प्लेट पर बिरयानी तब तक रखती चली जाती हैं जब तक वह 'बस' नहीं कह देते। मटन करी? चिकेन करी? वह उनकी प्लेट भरती चली जाती हैं जब तक वह 'ना' नहीं करते। सकीना उनकी गोद में नेपकिन रखकर उस पर प्लेट रख देती हैं। फिर वह इन्तज़ार करते हैं कि अपनी प्लेट भी भर लें और बैठ जायें। फिर वे कहते हैं, 'बिस्मिल्लाह!' दोनों उँगलियों से खाते हैं; चम्मच और काँटों से खाने का मज़ा चला जाता है।

हर शाम मेज़ से बहुत सा खाना हटाया जाता है। लेकिन यह बेकार नहीं जाता क्योंकि इसमें छह नौकर और उनका परिवार भी खाता है। निज़ामुद्दीन के भिखारी भी खाते हैं, जो फाटक के सामने इकट्ठे हो जाते हैं। खाने के बाद मिट्टी के सकोरों में चाँदी के वर्क लगी फिरनी, कुल्फी, आइसक्रीम और मौसम के फल सामने आते हैं। दोनों फिरनी ज़रूर खाते हैं, चम्मच में भरकर मुँह में डालते हैं। फल अनछुए रह जाते हैं।

फिर एक नौकर जग में गरम पानी, साबुन, तौलिया और एक बड़ा बर्तन लाता है। दोनों अपने हाथ धोते हैं, मुँह खँगालते हैं और बर्तन में कुल्ला कर देते हैं। बेग जायकेदार खाने का शुक्रिया अदा करने के लिए एक लम्बी डकार लेते हैं। नौकर मेज़ हटा देते हैं और छोटी मेज़ वापस लाकर उस पर रोमियो-जूलिएटा सिगार, क्लिपर और लाइटर रख

देते हैं। बेग अपने सिगार की तली तोड़ते हैं और उसे जलाते हैं। सकीना शराब की तरह उनका सिगार पीना भी पसन्द नहीं करती और दूसरे कमरे में चली जाती हैं।

बेग को अपना हवाना सिगार खत्म करने में आधा घण्टा लगता है; हर सिगार की कीमत करीब पाँच सौ रुपये है। इसका एक-एक पैसा वसूल हो जाता है क्योंकि यह उन्हें अपना डिनर हजम करने का समय देता है। इसे खत्म कर वे इसकी जलती हुई टुंडी ट्रे में मसल देते हैं और गुर्राते से कहते हैं, 'चलो।' दो नौकर बाथरूम जाने में उनकी मदद करते हैं, जहाँ वे दाँत साफ करते हैं, पेशाब करते हैं, रात के लिए कुरता-पजामा बदलते हैं और बिस्तर में चले जाते हैं। अनारदाने का बना हाजमे का चूरन दो चुटकी मुँह में डालते हैं। बगल में रखा टेबल लैम्प जलाकर गालिब के कुछ शेर पढ़ते हैं, जो उन्हें पहले से याद भी हैं। तब तक नींद आँखों में झुक आती है। लैम्प बुझा देते हैं, तकिये पर सिर रख लेते हैं और फौरन खर्राटे भरने लगते हैं। यह वजह है कि सकीना ने उनके कमरे में सोना बन्द कर दिया है। वह दूसरे कमरे में सोती हैं जहाँ बेग के खर्राटे उन्हें परेशान नहीं करते, लेकिन यह भरोसा दिलाते रहते हैं कि सब कुछ ठीक-ठाक है।

बाहर की रोशनियाँ रात भर जलती रहती हैं। चौकीदार फाटक और पीछे के दरवाज़े तक लाठी खटखटाता और थोड़ी-थोड़ी देर बाद 'खबरदार रहो' की आवाज़ लगाता पहरा देता रहता है।

~

बूढ़े लोगों के लिए सवेरे का वक्त परेशानी का होता है। उन्हें उम्र की कोई भी बीमारियाँ हों, उनके लिए सवेरे से दोपहर तक का वक्त ही ऐसा होता है, जब वे उन्हें सताती हैं। ज़्यादातर बूढ़े लोग इसी समय

ऊपर जाते हैं, और किसी वक्त में बहुत कम। गरम आबहवा वाली जगहों में यह अच्छी बात भी है क्योंकि शाम तक उन्हें दफ़ना दिया जाता है। ज़्यादातर मौतें पेट की हलचल से जुड़ी होती हैं क्योंकि ये ही उनके दिमाग पर सवार रहती हैं। कइयों को बहुत ज़ोर लगाना पड़ता है, जिसका उनके दिल पर दबाव पड़ता है। कई को साँस की समस्या होती है, उनकी साँस आसानी से आती-जाती नहीं, इसलिए कमॉड पर लगाये गए ज़ोर से उनका दिल प्रभावित होता है, जो कुछ समय बाद जवाब दे देता है।

शर्मा को हालांकि पेट की समस्या नहीं थी, लेकिन उनका वृक्क बढ़ा हुआ था, जिससे उन्हें पेशाब करने में परेशानी होती थी। मेडिकल जाँच से इसे कैंसर की शुरुआत बताया गया था। सही वक्त पर उन्होंने ऑपरेशन करा लिया, जिससे उनका कैंसर तो ठीक हो गया लेकिन पेशाब नियंत्रण से बाहर हो गया। रात को उन्हें दो-तीन दफा उठकर बिस्तर के नीचे रखे पॉट में करना होता है।

बूटा सिंह के दिमाग पर पेट की परेशानियाँ छाई हुई हैं। वे दस्त की गोलियाँ और एनिमा तो लेते ही रहते हैं, ग्लिसरीन की दवाओं से भी उनका मलद्वार भरा रहता है। पिछले कई साल से वे हर सवेरे गर्म दूध के साथ तीन भरे हुए चम्मच ईसबगोल को भी नियमित रूप से लेते हैं। कई दफा तो इससे सफाई हो जाती है, लेकिन ज़्यादातर कुछ नहीं होता।

बेग हालाँकि ज़्यादा घी मसाले का खाना खाते हैं, कसरत भी बिल्कुल नहीं करते, मोटे भी काफी हैं, लेकिन उन्हें पेट की कोई शिकायत नहीं है।

~

शर्मा रोशनी होने के बाद उठते हैं, हाथ ऊपर करके अँगड़ाई लेते हैं, ज़ोर से कई दफा, 'हरि ओ३म् तत् सत्' कहते हैं, फिर सिर्फ 'हरि ओ३म्'

'हरि ओइम्' कहकर रुक जाते हैं। इसके बाद वे पेशाब करने बाथरूम जाते हैं और कुल्ला करते हैं। फिर गर्म पानी का एक गिलास और एक मग चाय पीते हैं। इसके बाद वे ज़ोर-ज़ोर से गायत्री मन्त्र का पाठ शुरू कर देते हैं–

ओइम् भूर्भुवः स्वः। तत्सवितुर्वरेण्यं भर्गो
देवस्य धीमहि। धियो यो नः प्रचोदयात्।

इसके बाद वे कुछ देर इन्तज़ार करते हैं कि पेट में ज़ोर पड़ना शुरू हो जाए। बाथरूम जाकर नहाते हैं और कपड़े बदलते हैं। दलिया और अण्डों का नाश्ता करते हैं और दिन बिताने के लिए तैयार हो जाते हैं। वे अखबार नहीं लेते क्योंकि सारे अखबार उन्हें इण्डिया इण्टरनेशनल सेंटर की लायब्रेरी में मिल जायेंगे। जैसे ही उनकी बहन दफ्तर के लिए रवाना हो जाती है, उनका ड्राइवर उन्हें सेंटर ले जाता है। वे अपनी सुबह यहीं बिताते हैं, कॉफी लॉन्ज में कुछ खाते-पीते हैं और फिर लम्बी नींद लेने के लिए घर लौट आते हैं।

बूटा के लिए सवेरे का वक्त काफी मुश्किल का होता है। वे चार बजे से पहले उठ जाते हैं। फिर एक गिलास संतरे के जूस के साथ कुछ गोलियाँ निगलते हैं। फिर एक गद्देदार आराम कुर्सी पर बैठ जाते हैं। वे कहते हैं कि वे किसी की प्रार्थना में विश्वास नहीं करते, लेकिन पेट साफ करने के लिए प्रार्थना करते हैं, 'ओइम् आरोग्यम्' कई दफा यह मन्त्र बोलते हैं। अपने बेडरूम में रखी तीन अलार्म घड़ियों और सामने की मेज पर पड़ी जेब घड़ी को देखते रहते हैं। फिर खिड़की से बाहर देखते हैं कि सवेरा हुआ या नहीं। साढ़े पाँच बजे से अखबार आने शुरू हो जाते हैं। वे छह अखबार लेते हैं। 'हिन्दुस्तान टाइम्स' और 'टाइम्स ऑफ इण्डिया' में वे सिर्फ सुर्खियाँ देखते हैं और इनकी मैगज़ीनों में बॉलीवुड की तारिकाओं की चूचियों और उभारों पर नज़र डालते हैं। उनका सवेरे का वक्त क्रासवर्ड पहेलियाँ सुलझाने में गुज़रता है। नाश्ते में वे गर्म दूध

के साथ ईसबगोल लेते हैं, फिर अपनी बुढ़ापे की बीमारियों, ब्लडप्रेशर, बढ़े हुए गुर्दे, पेट में भरी हवा वगैरह के लिए आठ गोलियाँ निगल लेते हैं। अगर उनकी नकली प्रार्थनाएँ और गोलियाँ उन्हें पेट साफ करने में मदद करती हैं तो उन्हें आम के पेड़ों से कोयलों की मधुर आवाज़ें सुनाई देना शुरू हो जाती हैं, नहीं तो सारे दिन कौए काँव-काँव करते रहते हैं।

बेग के घरवाले सुबह जल्दी उठने के आदी हैं। जब फ़ज्र की नमाज़ 'अल्ला हो-अकबर' निज़ामुद्दीन की मस्जिद से गूँजने लगती है, बेगम सकीना और सारे नौकर मक्का की तरफ मुँह करके हाथ ऊपर अपने कानों तक ले जाते हैं और नमाज़ अदा करते हैं। नवाब साहब का दिन काफी देर बाद शुरू होता है। वे दोनों हाथ ऊपर उठाकर अँगड़ाई लेते हैं और ज़ोर से आवाज़ मारते हैं, 'या अल्लाह।' यह इशारा होता है कि लोग अपने काम-धँधे में लग जाएं। वे बाथरूम जाकर पेशाब करते हैं और कुल्ला करते हैं। फिर वे आग की बगल में रखी अपनी आराम कुर्सी पर बैठते हैं, तो सकीना आकर कहती हैं, 'सलाम आलेकुम! नींद अच्छी आई?' उनका जवाब होता है, 'वालेकुम सलाम! अल्लाह का शुक्र है। आराम से सोया।' एक नौकर इसी तरह उनका अहतराम करता है और चाँदी की ट्रे में रकाबियों में रखे दो प्याले, जिनमें चाँदी के चम्मच पड़े हैं, एक प्याली में चीनी और कपड़े से ढकी चायदानी, जिससे चाय ठण्डी न हो जाए और गर्म बनी रहे, लेकर आता है। सकीना प्यालियों में चाय ढालती हैं, उसमें दूध और चीनी मिलाती हैं और एक प्याला अपने शौहर को देती हैं। फिर अपना प्याला हाथ में लेकर सामने बैठ जाती है। पूछती है, "आज का प्रोग्राम क्या है?"

"वही, रोज़मर्रा की तरह," वे जवाब देते हैं। "कुछ काम-धंधा, लोगों से मिलना-जुलना, शाम को लोदी गार्डन की हवा खाना, फिर घर वापस आना। "सुबह होती है, शाम होती है, उम्र यूँ ही तमाम होती है।"

चाय की ट्रे हटा ली जाती है। एक दूसरा नौकर चाँदी का जड़ाऊ हुक्का लेकर आता है जिसमें रखे मिट्टी के बर्तन में आग के शोले और

खुशबूदार तम्बाकू भरी है। बेग उसके दम लगाते हैं और हर दम के बाद 'आह' करते हैं। हुक्के के कुछ दम उनके पेट में हलचल पैदा करने के लिए काफी है। अब वे इसकी परवा नहीं करते कि दुनिया में क्या हो रहा है। वे अंग्रेज़ी अखबार 'हिन्दुस्तान टाइम्स' खरीदते हैं, जिसकी वजह और कुछ नहीं, सिर्फ यह है कि उनके वालिद भी यही अखबार खरीदते थे। वे इसकी सुर्खियों और मरे हुए लोगों के नामों पर नजर डालते हैं और फिर उसे एक तरफ रख देते हैं। पहले वे उर्दू का अखबार 'कौमी आवाज़' खरीदते थे, लेकिन जबसे वह बन्द हो गया, ''रोज़नामा'', 'राष्ट्रीय सहारा', 'हिन्दुस्तान टाइम्स' और 'सहाफत' खरीदते हैं। कुछ पत्रिकाएँ जैसे 'नई दुनिया', 'सहारा टाइम्स' और 'पाकीज़ा आँचल' भी खरीदते हैं। वे खुद इनमें से एक भी पत्रिका नहीं पढ़ते, बेगम सकीना ही इन्हें पढ़ती हैं और पढ़ने के बाद अपने नौकरों को दे देती हैं, जो सब उर्दू जानते हैं। बेग अपनी बीवी से खबरें प्राप्त करते हैं, जिनमें उनकी अपनी टिप्पणियाँ भी जड़ी होती हैं–'बेशरम।' 'गुंडा कहीं का!', 'नालायक' या सिर्फ 'थू!' उनकी 'वाह! वाह!' सिर्फ सानिया मिर्ज़ा और इण्डिया की क्रिकेट इलेविन के मुसलमान खिलाड़ियों के लिए सुरक्षित रहती है।

~

बीटिंग रिट्रीट की शाम को अमूमन सनसेट क्लब के सदस्य नहीं मिलते। तीनों अपने-अपने टी.वी. पर परेड का नज़ारा देखते हैं। इस साल पूर्व राष्ट्रपति वेंकटरमण के सम्मान में, जिनकी मृत्यु दो दिन पहले ही हो गई थी, यह कार्यक्रम स्थगित कर दिया गया और इसी के साथ अन्य सार्वजनिक कार्यक्रम भी रोक दिए गए तथा राष्ट्रीय झण्डा भी ग्यारह दिन के लिए झुका दिया गया।

हम भारतवासी मृत व्यक्तियों का बहुत सम्मान करते हैं। यदि किसी दफ्तर का हेड क्लर्क चल बसे, तो सारा दफ्तर पूरे दिन की छुट्टी कर

देता है। शोक व्यक्त करने के इनके अपने अलग-अलग ढंग हैं। कुछ लोग अपने परिवारों को सिनेमा दिखाने ले जाते हैं, कुछ चिड़ियाघर, कुछ पिकनिक के लिए कुतुबमीनार या ओखला, जहाँ एक बराज भी है जिससे यमुना नहर निकलती है। फिर दूसरे दिन ये लोग मीटिंग करते हैं। सबसे बड़ा अधिकारी भाषण देता है जिसमें मृत साथी के गुणों का बखान किया जाता है। फिर सब एक मिनट तक चुपचाप खड़े रहते हैं। फिर सब अपनी मेज़ों पर चले जाते हैं और फाइलें उलट-पुलट करते हैं, चाय पीते हैं और गपबाज़ी में लग जाते हैं।

उस शाम लोदी गार्डन में पिकनिक करने वालों की भीड़ लगी थी। बैंच पर बैठते हुए बेग ने टिप्पणी की, ''आज तो बड़ी रौनक है।''

''होनी चाहिए,'' बूटा ने कहा, ''वेंकटरमण परसों नहीं रहे। उनके लिए शोक सभाएँ होंगी। यह जगह भी शोक सभा के लिए अच्छी है। चलिए, अब वेंकटरमण की बातें खत्म। चण्डीगढ़ के उस चन्द्रमोहन-अनुराधा प्रेमकाण्ड के बारे में आप लोग क्या सोचते हैं? अखबार तो भरे पड़े हैं।''

शर्मा सबसे पहले जवाब देते हैं। ''शर्म की बात है। अच्छे परिवार की ब्राह्मण लड़की एक शादीशुदा से शादी करती है, जिसके दो बच्चे भी हैं। फिर ये बिश्नोई भी हैं। इस समाज के संस्थापक, गुरु जम्भेश्वर, उच्च विचार के स्वामी थे, दूरद्रष्टा, अपने समय से एक सदी आगे की सोचने वाले, पहले पर्यावरण विशेषज्ञ। पेड़ मत काटो, जानवरों को मत मारो, लोगों को चोट मत पहुँचाओ, झूठ मत बोलो—इन सब बातों के प्रचारक। उन्होंने ऐसे पतियों के लिए, जो संतान उत्पन्न नहीं कर सकते थे, युवा, स्वस्थ लोगों की सहायता लेने का भी समर्थन किया था। यही वजह है कि बिश्नोई लोग सुन्दर होते हैं। और देखो, इनका क्या हुआ। एक वक्त ब्रिटिश सरकार इसे अपराधी जाति घोषित करने जा रही थी। इनमें हत्याओं और हिंसक घटनाओं की तादाद बहुत ज़्यादा है। और इस आदमी का पिता भजनलाल, जो हरियाणा का मुख्यमन्त्री रहा। रातों रात उसने दल-बदल दिया और रिश्वतें देकर लोगों को अपनी तरफ मिला

लिया। अब उसका बेटा अपने बाप से सवाया निकला है—वह ऊँची जाति की औरत से संबंध बनाने के लिए अपने बाल-बच्चों को ही छोड़ रहा है।"

अब बेग अपनी राय देते हैं। "शर्मा जी, इसमें बिश्नोई या ब्राह्मण वाली बात नहीं है। जिसे प्यार कहते हैं, वह जाति, धर्म, पैसा और गरीबी, सब सीमाओं को धता बता देता है। इश्क़ के बारे में मिर्ज़ा गालिब की ये लाइनें नहीं सुनी—

इश्क़ पर ज़ोर नहीं, है ये वो आतिश ग़ालिब,
कि लगाए न लगे और बुझाए न बने।

"इश्क-विश्क, लव-शव, सब बकवास है।" बूटा अब मैदान में कूद पड़ते हैं। "बेग साहब, असली चीज़ है वासना, प्यार वह चमक है जो इसके ऊपर चढ़ा दी गई है। वासना प्राकृतिक है। यह बचपन में उभरना शुरू होती है, बड़े होने पर बेकाबू हो जाती है, और बुढ़ापे तक साथ चलती है। मैं तुम्हें बताऊँ कि इस बिश्नोई और ब्राह्मणों में क्या हुआ होगा। बिश्नोई को नई औरत की ज़रूरत हुई होगी और वह किसी चिड़िया की तलाश में भटक रहा होगा। अब यह ब्राह्मणी तीस-पैंतीस साल की, गोरी-चिट्टी, काले-घुँघराले बाल कँधों तक गिरते हुए, सुन्दर आँखें, और बड़े गुम्बद जैसी शानदार छातियाँ। दोनों की आँखें मिलती हैं। वासना का तूफान उठता है। और बस, काम शुरू—तमाम शुद।"

"बूटा भाई, आपका तो जवाब नहीं है," बेग मुस्कराते हुए कहते हैं। "आप तो फौरन नीचे तक उतर आते हैं। लेकिन यह मत भूलिए कि वासना नहीं, प्यार। सच्चा प्यार ही दुनिया की सब ज़बानों की सबसे अच्छी शायरी की माँ है।"

शर्मा बेचैनी से दखल देते हैं, "प्यार और वासना को गोली मारो, तुम्हें इसकी फ़िक्र नहीं है कि ऐसे अवैध सम्बन्ध समाज पर क्या असर डालते हैं? एक शादीशुदा परिवार वाला आदमी, वह भी हरियाणा का उपमुख्यमन्त्री, दुनिया के सामने क्या मिसाल पेश कर रहा है! और वह

औरत। वकील, उसे राय दे रही है कि दो शादियों के इलजाम से बचने का सबसे अच्छा ढंग मुसलमान हो जाना है–क्योंकि उसमें एक से ज़्यादा शादियाँ जायज हैं! लानत है।"

बेग इस्लाम पर इतनी बड़ी तोहमत बरदाश्त करने को तैयार नहीं हैं। "शर्मा साहब, इस्लाम दो शादियों की इजाज़त तभी देता है जब एक शादी चल नहीं पाती। आप बहुत से मुसलमानों को जानते हैं, एक भी नाम बताइए जिसकी दो बीवियाँ हों। लेकिन हिन्दुओं में मैं ऐसे कई नाम गिना सकता हूँ–सब अच्छी जगहों पर हैं, राज्यों के मुख्यमन्त्री, एम.पी., फिल्म-स्टार, नाच-गाने वाले, बड़े व्यापारी। फिर भी हर कोई मुसलमानों को दोषी करार देता है कि वे कई शादियाँ करते हैं। एक मैं हूँ जिससे एक भी नहीं सँभलती।"

"माफ कीजिए कि मैंने आपकी भावनाओं को चोट पहुँचाई। लेकिन मेरी बात सुनिए, यह चन्द्रमोहन-अनुराधा ड्रामा अभी खत्म नहीं हुआ है। इसमें अभी और भी उतार-चढ़ाव देखने में आयेंगे।

"मैं मानता हूँ," बूटा ने अपनी जाँघों पर हाथ मारते हुए कहा, "हम लोगों में बहुत सी बातें एक-दूसरे के खिलाफ हैं। एक तरफ ये दोनों हैं जो समाज के सब नियमों की खिल्ली उड़ा रहे हैं, दूसरी तरफ मंगलोर की राम सेने के वे फंडूस हैं जो लड़के-लड़कियों को रेस्तराँ में बियर पीने के लिए मारते-पीटते हैं। इन गुण्डों को नंगा करके उनके चूतड़ों पर जूते लगाये जाने चाहिए। क्या कहते हैं, बेग साहब? यह तो आपने अखबारों में पढ़ा ही होगा?"

"कुछ लोग ऐसे होते हैं जो अपने काम से काम रखना नहीं जानते," बेग ने जवाब दिया। "अफसोस है कि हमारे मुल्क में ऐसे लोग बहुत ज़्यादा हैं।"

"तो आपका क्या ख्याल है, ऐसे लोगों को दर गुज़र किया जाए या जूते लगाए जाएं? उन्हें चप्पलों से पीटने से पहले उनके चूतड़ों पर थूका जाए?"

रात को एक दूसरे से जुदा होने से पहले वे उस दिन की बहस के मुद्दे पर अपनी राय जाहिर करना ज़रूरी समझते हैं। इसे शब्दों में सीधे-सीधे कहना मुश्किल होता है। बेग ग़ालिब का शे'र पढ़ते हैं–

रौ में है रख़्शे उम्र कहाँ देखिये थमे
नै हाथ बाग पर है न पा है रकाब में

बूटा इसमें एक और शे'र जोड़ते हैं–

मौत का एक दिन मुअय्यन है
नींद क्यों रात भर नहीं आती

शर्मा कहते हैं, "चीरियो!"

इस तरह खुश-खुश वे एक दिन के लिए एक दूसरे से अलग होते है।

2
फूलों का महीना

जनवरी 2009 का आखिरी दिन वसंत-पंचमी है, जो भारतीय विक्रम पंचांग के अनुसार सर्दी का खात्मा और वसंत की शुरुआत का दिन है। विक्रम केलेण्डर रोमन केलेण्डर की तुलनाएँ मौसमों के ज़्यादा नज़दीक है। कहावत है, आया वसंत, पाला उड़ंत। वसंत आया और सर्दी गायब होने लगी। और सचमुच वसंत के थोड़े से दिन फरवरी के अन्त में गर्मी में बदल जाते हैं। इस वक्त उत्तर भारत के मैदानों में सरसों चारों तरफ फूली नज़र आती है। जगह-जगह पीला रंग बिछा-सा दिखाई देता है। सरसों के फूल की इज़्ज़त करने के लिए लोग पीले रंग की पगड़ियाँ बाँधते हैं, औरतें पीले दुपट्टे ओढ़ती हैं। उत्तर भारत के लोग बंगालियों की तरह सरसों के तेल या बीजों का ज़्यादा इस्तेमाल नहीं करते, उसकी जगह यह सरसों की पत्तियाँ बड़े चाव से खाते हैं। ये पत्तियाँ पीसी जाती हैं, इसमें दूसरी सब्जियाँ और लहसुन, अदरक वगैरह मिलाए जाते हैं, और मशहूर सरसों का साग तैयार किया जाता है। इस साग के ऊपर मक्खन रखकर बाजरा या मक्के की रोटी से इसे स्वाद लेकर खाया जाता है। कहते हैं, बादशाहों को भी ऐसा स्वादिष्ट खाना नसीब नहीं होता।

वसंत का मौसम पतंग उड़ाने के लिए भी मशहूर है। भारतीयों ने पतंग बनाने में नए प्रयोग नहीं किए हैं और उसी चौकोर रंगों की डिज़ाइन से चिपके हुए हैं। भारत में पतंग उड़ाने की एक विशेषता यह है कि इसे एक लड़ाई की तरह विकसित किया गया है। पतंग उड़ाने वाले इसमें गलत हरकतें भी करते हैं, जैसे डोर पर काँच पीस कर उसकी परतें चढ़ाना जिससे दूसरी पतंगें ही आसानी से काटी जा सकें और लोगों की गर्दनें भी इनके कारण लहूलुहान हो जाएँ, कुछ लोग इनमें बिजली के तार भी लगा देते हैं, जिनसे शॉर्ट सर्किट हो जाता है। लोग अपनी छतों पर चढ़कर पतंगें उड़ाते हैं और दूसरी पतंगों को काटने की कोशिश करते हैं; एक-दूसरे से उलझकर जब कोई पतंग कट जाती है और नीचे गिरना शुरू कर देती है, तब चारों तरफ 'बोकाटा' की आवाज़ें लगना शुरू हो जाती हैं, और लोग उसे लपकने को दौड़ पड़ते हैं। उनके हाथों में काँटे लगे लम्बे बांस होते हैं और पतंग कई हमलों में चिथड़े-चिथड़े होकर नीचे गिरती है और किसी एक के हाथ नहीं आती।

फरवरी दिल्ली के लिए फूलों का महीना भी होता है। शहर के सारे पार्क और चौराहे फूलों से भर उठते हैं। चारों तरफ रंगों की भरमार हो जाती है। इनका सबसे शानदार नज़ारा रिज पर बुद्ध जयंती पार्क में होता है। यहाँ लम्बी-लम्बी क्यारियाँ हैं जिनमें बड़ी इफरात से फूल उगाये जाते हैं। फूलों के प्रेमियों के लिए लोदी गार्डन में यह दृश्य कहीं भी दिखाई नहीं देता। हाँ, यहाँ एक बन्द स्थान ज़रूर है जहाँ तरह-तरह के बहुत सुन्दर गुलाब खिलाए जाते हैं, लेकिन इनमें खुशबू नहीं होती। गुलाब के कुछ चाहने वालों के अलावा ज़्यादा लोग इसमें नहीं फटकते। फुटपाथ के दोनों तरफ कुछ क्यारियाँ ज़रूर बनी हैं लेकिन उन पर ज़्यादा ध्यान नहीं दिया जाता। परन्तु फरवरी में सारा बाग तरह-तरह के पेड़ों पर अपने आप लगने वाले फूलों से खिल उठता है। इन्हें देखने बहुत से लोग आते हैं।

~

सनसेट क्लब के सदस्यों को दूसरे पार्कों की तुलना में यह पार्क ज्यादा पसन्द है, इसके कई कारण हैं। जैसा मैं पहले कह चुका हूँ, शर्मा को महत्त्वपूर्ण व्यक्तियों से दुआ-सलाम रखना बहुत पसन्द है—जैसे संसद के सदस्य, बड़े राजनेता और रिटायर्ड उच्च अधिकारी। ज़्यादातर लोग उन्हें जानते हैं क्योंकि वे भी बड़े रिटायर्ड अधिकारी हैं। बेग को पुरानी इमारतों में काफी रुचि है, ज़्यादातर पठान बादशाह जिन्होंने कभी दिल्ली पर राज किया था। लोदी गार्डन उन्हें सैयद और लोदी सुलतानों के शानदार शासन की याद दिलाता है। बूटा सिंह को न बड़ी हस्तियों में रुचि है और न ऐतिहासिक इमारतों में, वे प्रकृति के प्रेमी होने का दम भरते हैं—चिड़िया और पेड़ जिनकी पार्क में बहुत बड़ी तादाद है, उनके आकर्षण का केन्द्र हैं।

उन्होंने खुद कई तरह के पेड़-पौधे उगाने की कोशिश की लेकिन सफलता नहीं मिली। कई साल पहले वे मैसूर से चन्दन का एक पौधा लाए थे। बूटा को पता नहीं था कि यह परजीवी पौधा है और आस-पास के पेड़ पौधों से उनके तत्व खींचकर अपने में खुशबू पैदा करता है। उनके बगीचे में अब यह बीस फुट का हो गया है लेकिन खुशबू जरा भी नहीं है। इसी के आस-पास उन्होंने दोगले आम्रपाली आम का एक पौधा बोया; जो चन्दन के पेड़ के ही पास तेज़ी से बढ़ा, फिर इसमें सफेद फूल (आम्रमंजरी) भी आए, जिनमें से कुछ फल भी बने, लेकिन कोई खाने लायक नहीं हुआ। उन्होंने अवोकेड़ो के भी छह पौधे लगाए। ये भी काफी फले लेकिन बिना फल दिए मुरझा गए।

करीब दस साल पहले उन्होंने एक पौधा खरीदा, जिसे नर्सरी वालों ने कदम बताया, और इसे उन्होंने अपने पीछे के वरांडे के पास लगाया। यह पौधा तीस फुट तक बढ़ गया है। बड़ा खूबसूरत पेड़ है, बड़ी-बड़ी हरी मोटी पत्तियों से भरा। फरवरी के अन्त में इसकी पत्तियाँ गिरने लगती हैं और उनकी जगह पर नारंगी रंग की पत्तियाँ निकलती हैं। बूटा को इनका गिरना देखना अच्छा लगता है। तेज़ हवा चले तो झुण्ड की झुण्ड गिरने लगती हैं। फिर लाल रंग की पत्तियाँ निकलती हैं और लगता है कि पेड़ पर आग लग गई हो—यह दृश्य बड़ा मनोहर होता है।

बूटा अपने दोस्तों को बुलाकर यह दिखाते हैं। एक दिन एक व्यक्ति प्रदीप कृष्न की किताब 'ट्रीज़ ऑफ़ डेल्ही' लेकर आया। उसने पेड़ पर एक नज़र डाली और बोला, "यह कदम नहीं, कोसम है।" फिर उसने किताब में पौधे की तस्वीरें दिखाईं। कुछ दिन बाद उसने कदम का एक पौधा उपहार के रूप में भेजा। बूटा ने उसे बाग के बीचों-बीच गाढ़ दिया। अब यह बीस फुट का हो गया है, लम्बा तना, निश्चित दूरी पर शाखाएँ, हल्के हरे रंग के बड़े-बड़े पत्ते—आँखों को बड़ा सुकून देता है। बूटा ने अपना प्यार कोसम से कदम को सौंप दिया है।

फरवरी में बहुत से पेड़ फूलों से लद जाते हैं। 'बूढ़ा बिंच' की पश्चिमी दिशा के मैदान में सेमल के बड़े-बड़े पेड़ हैं—सिल्क की रुई—जिसमें काफी बड़े लाल बेतरतीब फूल निकलते हैं, जो न देखने में अच्छे लगते हैं, और न खुशबू देते हैं। मैदान में और नीचे चलें तो मुहम्मद शाह सैयद के मकबरे के सामने ढाक के कुछ पेड़ हैं, जिन्हें पलाश भी कहते हैं, यानी जंगल की आग। लोग इसे अपने बगीचों में नहीं लगाते क्योंकि इसमें एक या दो हफ्ते के लिए ही फूल खिलते हैं। ये फूल फरवरी के अन्त या मार्च के पहले हफ्ते में नष्ट हो जाते हैं। बुद्ध जयंती पार्क में और उसके आस-पास आप इन्हें जंगली ढंग से उगते देख सकते हैं। कहा जाता है कि 1857 में लार्ड क्लाइव ने नवाब सिराजुद्दौला के साथ जिस मैदान में लड़कर विजय हासिल की उसे प्लासी की लड़ाई इसीलिए कहा गया क्योंकि वहाँ पलाश के बेतहाशा फूल खिले थे। इसके तोते की चोंच की तरह नुकीले फूल देखने में तो अच्छे लगते हैं, लेकिन इनमें कोई गन्ध नहीं होती। शीश गुम्बद के पीछे, जो बड़ा गुम्बद के एकदम पश्चिम में है, कोरल के कुछ पेड़ हैं। इनके फूलों का रंग भी ढाक के फूलों जैसा ही होता है, लेकिन ये टेढ़े न होकर सीधे होते हैं। इनमें भी कोई गन्ध नहीं होती। इन पेड़ों पर बूटा अधिक ध्यान देता है और दोनों साथियों को इनकी विशेषताओं के बारे में बताता रहता है।

~

बूटा जागते हुए और सोते हुए कल्पनाएँ करते रहते हैं। समय के साथ उनकी कल्पनाओं और सपनों में परिवर्तन आया है। जब वह युवा थे उन लड़कियों की कल्पना करते थे जो उनसे मिलती-जुलती थीं या अच्छी लगती थीं। इनकी कल्पना के साथ वह हस्त मैथुन भी करते थे। उन्हें उम्मीद होती थी कि वे सपनों में भी आएँगी और उन्हें मज़ा देंगी। लेकिन वे कभी नहीं आईं; जब कभी उन्हें स्वप्न दोष होता, उनके साथ ऐसी लड़की होती जिसे उन्होंने देखा तक न होता था। जैसे-जैसे वह बड़े हुए, उनकी कल्पनाओं में आकांक्षा और जलन झलकने लगी। वह सपने देखते कि अपने साथियों से ऊपर उठ गए हैं और उन पर छाने लगे हैं।

उम्र के साथ उनके सपनों का नक्शा भी बदला। छोटे थे तो सपने आते कि अकेले बहुत ऊँचाई तक उड़ गए हैं, फिर एकदम ज़मीन पर गिर पड़ते हैं। जिससे उनकी नींद खुल जाती है। फिर असुरक्षा के सपने आने शुरू हुए—कि इम्तहान दे रहे हैं लेकिन एक भी सवाल का जवाब नहीं दे पाते; सिर्फ एक कच्छा पहनकर किसी जलसे में शामिल होते चले गए हैं; रास्ता भूल जाते हैं, बस और ट्रेन छूट जाती हैं, अपने होटल का कमरा याद नहीं रहता, बिल चुकाने के लिए जेब में पैसे नहीं होते। और इस तरह की दूसरी बातें। अब अस्सी के हुए हैं तो बढ़ा हुआ गुर्दा और बदहज़मी सपनों में छाई रहती है। जैसे पेशाब भरा हुआ है लेकिन करने की जगह नहीं मिलती, इसी तरह स्टूल पर बैठे पेट से कुछ निकलने के लिए ज़ोर लगा रहे हैं, कि तभी कोई आ जाता है। हर रात ये सपने आते रहते हैं।

~

बूटा हर रात जब बिस्तर पर जाते हैं, तब थोड़े-बहुत नशे में ज़रूर होते हैं। लेकिन उन्हें नींद अच्छी नहीं आती। हर रात दो-तीन दफा तो पेशाब के लिए उठते हैं। फिर भी चार बजे से पहले जग जाते हैं और सारा

सवेरा यही सोचते हुए बीतता है कि पेट साफ होगा या नहीं। वह सोचते हैं कि कल रात क्या खाया था। ज़्यादा नहीं, सिर्फ एक सिंगिल माल्ट ह्विस्की, टोस्ट पर अण्डा और कुल्फी। क्या दिमाग की तुलना में शरीर ज़्यादा जल्दी सड़ रहा है? यह खेल कब तक चलेगा? इसके बाद क्या होगा? उनका दिमाग और शरीर हमेशा के लिए एक-दूसरे से जुदा हो जायेंगे। इसके बाद जो रह जाएगा, वह दूसरों के दिमाग में उनकी कुछ यादें होंगी जो शेष रह जाएँगी। 8 फरवरी की रात दूसरी रातों से ज़्यादा बुरी होती है। वह 3 बजे से पहले उठ जाते हैं और अपनी आराम कुर्सी पर आराम से बैठ जाते हैं कि शायद घण्टा आध घण्टा और आँख लग जाए। लेकिन नींद नहीं आती। वे हारकर कोशिश करना छोड़ देते हैं और घूमने को निकल पड़ते हैं। कई सालों से उन्होंने यह नहीं किया। उनके लिए ठण्ड अब भी काफी है और एक स्वेटर की ज़रूरत है। वे अपने घूमने जाने वाले जूते पहनते हैं, कार की चाभी उठाते हैं और चुपके से फ्लैट से बाहर निकलने की कोशिश करते हैं कि कहीं बगलवाले कमरे में फर्श पर सो रहा नौकर जाग न जाए। अभी तक चारों तरफ शान्ति है। आसमान में चाँद पूरा चमक रहा है, और उसके पास वाला सितारा भी पूरी आभा से दमक रहा है। पिछली दफा कब उन्होंने यह चाँद और सितारे देखे थे? शहर की बदशक्ल रोशनियों ने लोगों के अँधेरे में रहने का अधिकार छीन लिया है। वह निकलते हैं तो पेड़ों में छिपे उल्लुओं की आवाज़ें सुनाई देती हैं। पिछली दफा इन पक्षियों ने उनका स्वागत कब किया था?

वह खाली सड़क पर अपनी गाड़ी दौड़ाते हैं और इण्डिया इण्टरनेशनल सेंटर पहुँचकर कार पार्क में खड़ी कर देते हैं। गाड़ी में तब तक बैठे रहते हैं, जब तक आसमान में तड़के सवेरे की धुँध उतरने नहीं लगती। फिर वे कोस मीनार तक पैदल चलकर जाते हैं। उन्हें ताज्जुब होता है कि इस समय भी इतने लोग यहाँ हैं। वे सब कुछ-न-कुछ कसरत करने में लगे हैं, कोई कूद रहा है, कोई तेज़ रफ्तार से चल रहा है, मज़े से न

कोई टहल रहा है, न बातें कर रहा है। बूटा भी दो चक्कर लगाकर 'बूढ़ा बिंच' पर चारों तरफ का नज़ारा देखने के लिए आकर बैठ जाते हैं। बहुत से लोग योग कर रहे हैं—पद्मासन, धनुरासन, शीर्षासन और कुछ नाक से साँस भीतर लेकर और निकालकर प्राणायाम कर रहे हैं। बूटा को ताज्जुब होता है, ये सब ये लोग अपने घरों में क्यों नहीं करते? सार्वजनिक स्थानों में दूसरों को दिखाते हुए करना इन्हें क्यों पसन्द है?

अब कुछ और होता है। तीस के करीब बीच की उम्र के स्त्री-पुरुष, जो सब ऐसे दिखाई दे रहे हैं जैसे सबकी नानियाँ मर गई हों, एक सफेद धोती-कुर्ता पहने आदमी के सामने अर्धमण्डल बनाकर बैठते हैं। वह दोनों हाथ उठाकर सबको चुप होने का आदेश देता है। फिर वह आरकेस्ट्रा के कण्डक्टर की तरह हाथ ऊपर उठाकर नीचे गिराता है कि शुरू किया जाए। दो 'हा-हा' की ऊँची आवाज़ें करके वह खुद शुरू करता है। फिर उसके इर्दगिर्द बैठे लोग अलग-अलग ध्वनियों में हा-हा, ही-ही, हू-हू करने लगते हैं। कुछ बड़े ज़ोर से हँसने का अभिनय करते हैं, कुछ हाथ ऊपर फेंककर चरम प्रसन्नता दर्शाते हैं। यह दस मिनट तक चलता है, जब तक वे थक नहीं जाते। जब वे घर जाने के लिए उठते हैं तो उनके चेहरों पर शान्ति और चमक दिखाई देती है। यह लोदी गार्डन का हँसने वालों का क्लब है।

बूटा दबी ज़बान से कहता है—'खोते'—यानी गधे। फिर उसका दिमाग़ उन दिनों को वापस जाता है जब बड़ा गुम्बद शहर की सबसे बड़ी मस्जिद रही होगी। वह कल्पना करता है कि उस जमाने में यह दृश्य कैसा रहा होगा। सवेरे फ़ज्र की नमाज़ अल्ला हो अकबर, आसमान में ऊँची उठती होगी, नमाज़ी लम्बी क़तारों में ऊपर-नीचे उठते और झुकते होंगे, साथ ही कुरान की आयतें बोलते जाते होंगे। फिर इमाम रुककर गुस्से से पूछता होगा, "ये कौन गधे हैं जो बाहर रेंक रहे हैं और अल्लाह की इबादत में खलल डाल रहे हैं? उतार लो इनकी गर्दनें। "तब लोदी गार्डन के हसोड़ क्लब वालों को हँसने के लिए क्या रह जाता होगा।"

बूटा सोचने लगा, कि यह बात शर्मा और बेग को ज़रूर बतानी चाहिए और उनसे पूछना चाहिए कि इस तरह की बनावटी हँसी के बारे में उनकी क्या राय है?

घर लौटकर भी वह इसी पर विचार करते रहते हैं। अगर इस तरह की बनावटी हँसी का लोगों की सेहत पर प्रभाव हो सकता है, तो इस तरह बनावटी रोने का भी कुछ असर ज़रूर होना चाहिए। उनकी एक घनिष्ठ स्त्री मित्र हैं, जो शिया हैं। एक सुन्नी से शादी हुई, उनके और बच्चों के साथ सालों विदेश में रहीं–पश्चिमी सभ्यता में बढ़ी, सुसंस्कृत, शिक्षित, उर्दू और अंग्रेज़ी दोनों की जानकार, ह्विस्की और हल्की दोस्ती की शौकीन। लेकिन मुहर्रम आया, मुस्लिम साल का पहला महीना और उनका व्यवहार बदला, काला कुरता पहनने लगती हैं, शराब को छूना भी बन्द कर देती हैं, घर पर शियों की मजलिसें करवाती हैं जिनमें इमाम हुसेन की याद में मरसिये पढ़े जाते हैं, जिनको सदियों पहले करबला की लड़ाई में मार डाला गया था। इसमें बहुत से लोग रोने और आँसू बहाने लगते हैं। कई शोक व्यक्त करने के लिए छातियाँ पीटते हैं। मुहर्रम के दसवें (आशुरा के) दिन तो शोक-प्रदर्शन अपनी सीमाएँ तोड़ देता है; शिया आम सड़कों पर छातियाँ पीटते और कीलदार चाबुकों से अपने को मारते हुए जिसमें सारा शरीर लहूलुहान हो जाता है, और 'या हुसेन, या हसन' के नारे लगाते हुए निकलते हैं।

'इसका मुझे मतलब समझ में नहीं आता,' एक दिन जब वह स्त्री मित्र उनके साथ बैठी शाम की शराब पी रही थी, बूटा ने उनसे कहा।

"आता है," उन्होंने ज़ोर देकर कहा। "शोक करने और आँसू बहाने से मनुष्य की घटिया और कमीनी आदतों में कमी होती है।"

लेकिन बूटा की समझ में अब भी नहीं आता था। खिलाफत के सवाल पर मुसलमान दो कभी न जुड़ सकने वाले टुकड़ों में बँट गए–सुन्नी और शिया। इनकी अलग मस्जिदें होती हैं, आपस में कभी-कभार ही शादियाँ होती हैं, एक दूसरे को ये खुलकर गालियाँ देते हैं, जैसे शिया

खटमल हैं, सुन्नी पिस्सू हैं, या मच्छर हैं; सुन्नी मद्दे साहिबा गाते हैं, जिसमें पहले तीन खलीफ़ाओं के बखान हैं, शिया इसके बदले में तबर्रियाह पढ़ते हैं, जिसमें इनका विरोध किया गया है। दोनों एक-दूसरे की मस्जिदों में बम फेंकते हैं। संक्षेप में कहें, तो ये काफिरों से ज़्यादा एक-दूसरे से नफरत करते हैं।

इसके बारे में बेग से बात करेंगे, बूटा ने खुद से कहा।

~

उसी शाम जैसे ही आपसी दुआ-सलाम खत्म हुई, कि सब ठीक-ठाक है या नहीं, बूटा ने उन्हें अपना सवेरे का अनुभव सुनाया।

''यह एक प्राचीन क्रिया है। जिसे हास्य योग कहते हैं,'' सब जनतावाले–जो सब कुछ जानते हैं–पण्डित शर्मा ने जवाब दिया। ''यह जानी हुई बात है कि हँसना सबसे बड़ी दवा है। इससे शरीर और मन दोनों स्वस्थ होते हैं। ग्रीकों में भी इसके लिए शब्द था–गेलोस–जिसका अर्थ है हँसी, जिससे अंग्रेज़ी का शब्द गेलोटोलाजी–चिकित्सक हँसी–बना है। बूटा, तुम्हें यह शब्द पता नहीं होगा, घर जाकर डिक्शनरी देखना।''

बूटा शर्मा की चोट को नज़र अंदाज़ कर देते हैं और सवाल करते हैं, ''बनावटी हँसी भी क्या फायदा पहुँचाती है। ऐसा हो तो किसी से अपनी बगलों में चुटकियाँ लेने को कहो।''

शर्मा जवाब देते हैं, ''कैसे भी हो, हँसी दिल से होनी चाहिए। दिन में एक दफा हँसने से अच्छा रहता है।''

बेग कहते हैं, ''मेरी समझ में भी बनावटी हँसी से कुछ नहीं होगा, जब सचमुच हँसने के लिए कुछ भी न हो। कोई हँसी की चीज़ सामने दिखाई दे, या कोई मज़ेदार किस्सा सुनाया जाए, या कोई खुद बेवकूफी का काम करे, तो हँसी सही है, लेकिन बिना वजह हा-हा-हा-हा की बात मेरी समझ में नहीं आती।''

“जो लोग बिल्कुल नहीं हँसते, उनके बारे में क्या कहोगे?” बूटा ने सवाल किया। “जैसे वह आदमी, जो हमारा इलेक्शन कमिश्नर था, क्या है उसका नाम? ...अरे हाँ, शेषन। वह कभी नहीं हँसता था। ममता बनर्जी कभी नहीं हँसती। महबूबा मुफ्ती भी ऐसी ही है। ऐसे लोगों में क्या कोई कमी है।”

“मैं नहीं जानता,” बेग ने कहा। “लेकिन ऐसे लोगों की कम्पनी में मुझे परेशानी होती है। आप मानते हैं यह, शर्मा जी?”

“पूरी तरह,” शर्मा जी ने जवाब दिया। “मेरे साथ ऐसी कोई समस्या नहीं है। बूटा से रोज़ मिलना होता है–फिर हँसने की कमी क्यों होने लगी?”

“मैं भी,” बेग ने कहा। “जिस शाम वे साथ नहीं होते, मुझे अटपटा महसूस होता है। अल्लाहताला ने लोगों को खुश रखने के लिए सरदारों को बनाया है।”

बूटा समझ गया कि शर्मा उसे उलझाने की कोशिश कर रहा है। वह हमेशा सिखों का मज़ाक उड़ाता है, जैसा सब हिन्दू करते हैं। “शर्मा पण्डित”, उन्होंने चोट की, “तुम हमेशा सरदारों का मज़ाक उड़ाते हो। मैं तुम्हें बताता हूँ, जिन लोगों को अपने ऊपर विश्वास होता है, वे ही अपना मज़ाक उड़ा सकते हैं। हम यहाँ सिर्फ दो प्रतिशत हैं लेकिन देश पर राज कर रहे हैं। प्रधानमन्त्री सिख है, योजना आयोग का प्रमुख सिख है, और कुछ समय पहले तो-कमाण्डर-इन-चीफ भी सिख ही था।”

शर्मा को मज़ा आया। “बेग साहब, जानते हैं, सिख कितने गर्म दिमाग होते हैं। वे खुद अपने ऊपर हँस सकते हैं लेकिन दूसरों का हँसना बर्दाश्त नहीं कर सकते। इनसे पूछिए कि जब कोई इनसे कहता है कि “बारह बज गये” तब ये क्यों नाराज़ हो उठते हैं?”

“मैं नाराज़ नहीं होता,” बूटा ने कहा। “कुछ साल पहले मैं एक कॉन्फ्रेंस के लिए स्कॉटलैण्ड गया था। मेहमानों में बंगलादेशी शायर जसीमुद्दीन भी थे। हर सवेरे नाश्ते के समय वे अपने बंगाली अंदाज़ में

कहते, ‘‘सरदारजी, आपको बोरो बोज गोया?’’ और मैं जवाब देता, ‘‘मेरा बोरो बोज गया।’’ फिर वे समझाते, ‘‘मेरे देश में यह बीग जोक है।’’ बेचारा समझ नहीं पाता कि मैं उसके भारी लहजे की नकल उतार रहा हूँ, इसलिए मज़ाक़ मेरा ही रहता।’’

‘‘यह मज़ाक़ सरदारजियों पर ही चिपक कर क्यों रह गया है औरों को क्यों नहीं छूता?’’ बेग ने प्रश्न किया।

‘‘मैं बताता हूँ,’’ बूटा ने जवाब दिया। ‘‘एक कहानी यह है कि जब सिखों ने मुलतान के किले पर कब्ज़ा कर लिया और उसके शासक को गिरफ्तार कर लिया, तो लाहौर यह खबर दो दिन बाद दोपहर के वक्त पहुँची। महाराजा रणजीत सिंह यह सुनकर बहुत खुश हुए और उन्होंने तोपें दागने का हुक्म दिया; यह भी हुक्म दिया कि जिस औरत का चाहो, रेप कर लो—जो उन्होंने किया। यही कारण है कि गैर सिखों के मन में ‘बारह बजे’ आज तक दर्द पैदा करता है।’’

‘‘क्या बकवास है!’’ शर्मा ने गुस्से से कहा, ‘‘मैंने पंजाब का इतिहास सालों पढ़ाया है, ऐसी कहानी कभी नहीं सुनी। तुमने खुद गढ़ी है।’’

‘‘लेकिन इसके पीछे कोई बात ज़रूर होनी चाहिए’’ बेग ने आपत्ति की। ‘‘यह हवा में से तो नहीं गिर पड़ी।’’

‘‘मैं तुम्हें जवाब दे सकता हूँ,’’ बूटा ने कहा, ‘‘मैं जब टर्की गया था, अचानक इस समस्या से टकरा गया। मुझे घुमाने-फिराने के लिए दो छात्र दिये गये थे। मैंने उनसे तुर्की मज़ाक सुनाने को कहा। ज़्यादातर मज़ाक हमारे जैसे थे, बेवकूफ बादशाहों के बारे में, जोरू के गुलाम पतियों के बारे में, सास-बहुओं के बारे में। फिर उनमें से एक ने मुझसे कहा कि उनके ज़्यादातर मज़ाक उन किसानों के बारे में हैं जिन्हें लाज़ कहते हैं और जो केस्पियन सागर के पास रहते हैं। ये सीधे-सादे लोग हैं जिनका दिमाग़ दोपहर को खराब हो जाता है। मुझे विश्वास है कि मुस्लिम हमलावरों में इन लोगों के दस्ते रहे होंगे, जो तुम्हारे भी पुरखे थे, जो ये ‘बारा बजे’ का मज़ाक हिन्दुस्तान लाए और उसे यहाँ के सिखों के साथ, जो खुद बड़े सीधे-सादे होते हैं, जोड़ दिया।’’

"बूटा जी, तो अब कोई सरदारजी जोक हो जाए। चोंदा, चोंदा–जैसा आप पंजाबी कहते हैं," बेग ने कहा।

बूटा देर से ऐसे मौके का इन्तज़ार कर रहे थे, जिससे शर्मा से निबटा जा सके। उन्होंने कहा, "अच्छा, लेकिन यह नॉन-वेज होगा, शर्मा को शायद अच्छा न लगे।"

"चलो, सुनाओ," शर्मा ने कहा, "मैं माइंड नहीं करूँगा।"

तो बूटा सुनाना शुरू करते है–"एक दफा एक सरदार जी ने नौकरी के लिए अर्जी दी। उन्हें इण्टरव्यू के लिए बुलाया गया। इण्टरव्यू बोर्ड के तीन मेम्बर थे, तीनों पंजाबी हिन्दू। उन्होंने तय किया कि सरदार को चूतिया बनाया जाए।

सरदार उनके सामने बैठा तो एक बोला, "मैं एक आवाज़ निकालूँगा। तुम्हें बताना होगा, किसकी आवाज़ है। ...कू, छुक, छुक, छुक।"

"रेलगाड़ी की आवाज़ है," सरदार ने कहा।

"ठीक है," मेम्बर ने कहा, "अब बताओ, राजधानी की है या शताब्दी की?"

"राजधानी की।"

"गलत। शताब्दी की है।"

दूसरे मेम्बर ने कहा, "अब मैं एक आवाज़ करूँगा। तुम बताना किसकी है–भौं, वौं वौं।"

"कुत्ते के भूंकने की है।"

"ठीक है। स्पेनियल की है या अलसेशियन की।"

"अलसेशियन की।"

"गलत! स्पेनियल की है।"

"इस तरह देर तक सवाल-जवाब चलते रहे। आखिरकार उनके सवाल खत्म हो गए तो सरदार ने उनसे पूछा, "आपने मुझसे बहुत से सवाल पूछ लिए। अब मैं भी कुछ पूछूँ?"

"हाँ, हाँ, क्यों नहीं," वे बोले। "तुम भी पूछो।"

अब सरदार ने मेज़ पर से कागज़ का एक टुकड़ा उठाया, उसे औरत के बीच के हिस्से की तरह काटा, उसमें एक छेद किया, फिर पूछा, ''बताओ, यह क्या है?''

''यह चूत है।''

''सही बताया,'' सरदार बोला। ''अच्छा, अब यह बताओ कि यह तुम्हारी माँ की है या बहन की?''

बेग ठहाका मारकर हँस पड़ता है। शर्मा ने कहा, ''मज़ा नहीं आया। तुमसे ही बहुत दफा सुन चुका हूँ यह मज़ाक।''

बेग की हँसी रुकने में नहीं आती। तीन हिजड़े जो लोदी गार्डन में अक्सर छिपकर प्रेम करने वालों को सताते रहते हैं, जिनसे वे चुप रहने के लिए पैसा वसूल करते हैं, इनकी आवाज़ सुनकर इधर आ जाते हैं। वे बेग को जानते हैं क्योंकि उनके यहाँ अक्सर शादियों और जन्मदिनों में गाने-बजाने जाते रहते हैं। वे 'बूढ़ा बिंच' के पास जाते हैं और तालियाँ बजाकर मटकना शुरू कर देते हैं। बेग गुस्सा हो उठते है। वह सौ रुपये का नोट निकालकर हिंजड़ों के मुखिया को देते है और कहते हैं अब यहाँ से दफा हो जाओ। इसके बाद यहाँ फिर दिखाई दिये, तो अगली बार कोठी पर आओगे तो खूब मरम्मत करवाऊँगा। वे उन्हें दुआएँ देते हुए चले जाते हैं।

बूटा चुप नहीं रहते कहते हैं, ''तो नवाब साहब, आप इनका भी मज़ा लेते है?''

''लाहौल बिलाकुव्वत अल्लाह बिल्लाह।'' बेग कहते हैं। ''लेकिन अगर आप अपने अनुभवों में इजाफा करना चाहते हैं, तो इन्हें मैं आपके यहाँ भेज दूँगा। इनकी फीस मैं दूँगा।''

मीटिंग बरखास्त हो जाती है।

~

बनावटी शोक के बारे में बहस दूसरी शाम शुरू होती है। बूटा उन्हें अपनी शिया स्त्री मित्र के बारे में बताते हैं, और उसने जो भी कहा, वह भी बताते हैं। बेग इसका उत्तर देते हैं—"हम सुन्नी हैं, शिया नहीं हैं। हम भी करबला में हुई इमाम हुसेन की शहादत पर शोक मनाते हैं, लेकिन छाती पीट कर नहीं और न बदन से खून निकाल कर।"

"हमारे भी अपने शहीद हैं। हर धर्म के शहीद होते हैं। हम उनके जन्मदिनों पर उनका सम्मान करते हैं लेकिन अपने शोक का सार्वजनिक प्रदर्शन नहीं करते। सिर्फ शिया हैं जो यह सब करते हैं।"

"यह बात पूरी तरह सही नहीं है," बूटा इसमें दखल देते हैं। "मुझे याद है कि पंजाब के हमारे गाँव में जब कभी किसी की मौत होती थी, मिरासी औरतों के दल वहाँ आते थे और मृत व्यक्ति का नाम ले-लेकर छातियाँ पीटते तथा "हाय-हाय," "हाय-हाय" करते थे। इनसे बड़ा डरावना माहौल बन जाता था। उन्हें चुप कराने के लिए पैसे देने पड़ते थे।"

"यह वो बात नहीं है", शर्मा ने कहा, "शोक स्वाभाविक होना चाहिए, बनावटी नहीं। जब आपका कोई नजदीकी मर जाता है, तो आप टूट जाते हैं और रोने लगते हैं। अगर आप दुखी नहीं होते तो आपमें कोई कमी है। ये गोरे लोग सोचते हैं कि इस तरह टूटकर रोने लगना अच्छी बात नहीं है। वे अपना दुःख भीतर घोंट लेते हैं—अकेले होते हैं, तभी रोते हैं। कुछ लोग बाँहों पर काली पट्टियाँ पहनते हैं या काली टाइयाँ बाँधते हैं। अब यह प्रथा भी खत्म हो गई है। लेकिन मेरा मानना है कि अगर आप अपने शोक को दबाएँ और उसे व्यक्त न होने दें, तो आपमें मनोवैज्ञानिक कमियाँ होनी चाहिए। इसी कारण बहुत से पश्चिम के लोग मनोचिकित्सकों के यहाँ जाते रहते हैं। आप इससे सहमत हैं या नहीं, बेग साहब?"

बूटा बीच में कहते हैं, "शोक को इस तरह व्यक्त करने के मामले में शिया पहले लोग नहीं हैं। इनसे बहुत पहले यहूदियों ने जेरूसेलम में

अल अक्सा मस्जिद और डोम ऑफ डि रॉक के बगल में शोक जताने के लिए वेलिंग वाल की शुरुआत भी की। आज तक यह उनके लिए तीर्थ स्थान है। वे दीवार की तरफ मुँह करके देर तक रोते-पीटते हैं। रोने से मन को शान्ति ज़रूर मिलती है।''

''हाँ भी, नहीं भी,'' बेग ने कहा, ''गालिब ने कई जगह नौहागर का उल्लेख किया है, शोक जताने का पेशा करने वाले लोगों का। उनका कहना है कि अगर वे इनकी फीस दे सकते, तो हमेशा किसी को अपने साथ रखते। उन्होंने यह भी कहा है कि इन्हें साथ रखने से आराम मिलता है। इनके रोने से आप पाक महसूस करते हैं। बूटा जी, मेरा ख्याल है, आपको ये लाइनें ज़रूर याद होंगी।''

बूटा शान दिखाने का कोई अवसर हाथ से नहीं जाने देना चाहते, इसलिए उन्होंने फौरन यह लाइन बोली, ''इतने धोये गये कि बस पाक हो गये।'' फिर वे बोले, ''तो हम सब मानते हैं कि हँसने की तरह रोना भी सेहत के लिए फायदेमंद है। अब हम घर जाएँ और फूट-फूट कर रोयें।''

~

14 फरवरी की शाम को शर्मा बहुत खुश नज़र आते हैं और अपने दोस्तों को एक नई खबर बताने के लिए उतावले हैं। बेंच पर सबके बैठते ही वे कहते हैं, ''पता है, क्या हुआ?''

''क्या हुआ?'' बूटा पूछते हैं।

''मुझे आज चार वेलेन्टाइन कार्ड प्राप्त हुए, यानी चार औरतें मुझसे प्यार करती हैं।''

''तो आपने उनके साथ क्या-क्या किया?'' बूटा सवाल करते हैं।

''मैं खान मार्केट गया और चार वेलेन्टाइन कार्ड खरीदे। लेकिन यह बड़ी समस्या साबित हुई। वे कार्ड दराजों में छिपाकर रखते हैं जिससे

शिव सेना और बजरंग दल के गुण्डों को पता न चल जाए और वे उनकी दुकान पर हमला न बोल दें। वे सोचते हैं कि यह भारतीय संस्कृति के खिलाफ है और ज़रूरत पड़े तो ताकत से इसे दबा देना चाहिए। यह आदमी मुझे जानता है, इसलिए कार्ड दे दिए। मैंने कूरियर से चारों को कार्ड भेज दिये।"

"मुझे सेंट वेलेन्टाइन के बारे में कुछ बताइए। मुझे अभी तक कुछ नहीं पता," बेग ने कहा।

बूटा ने उनको सब जानकारी दी और बताया कि इस दिन पश्चिम में कार्ड भेजने की प्रथा है। "जो बात आप शब्दों में नहीं कह पाते, डाक से कहते हैं। तुम अंग्रेज़ी का अखबार नहीं पढ़ते, बेग? पन्ने के पन्ने भरे होते हैं प्यार के सन्देशों से, सादा शब्दों में या कोड की भाषा में। यह करोड़ों का व्यापार है। हम हिन्दुस्तानी पश्चिमी लोगों की बुरी बातें फौरन अपना लेते हैं। शर्माजी, आप यह मानते हैं या नहीं?"

शर्मा भारत के पारम्परिक मूल्यों के ज़बरदस्त समर्थक हैं, इसलिए उन्हें इस बात से परेशानी होती है। "इसमें कोई नुकसान नहीं है। लोगों को अच्छा लगता है कि उन्हें कोई प्यार करता है। हम पुराने स्मारकों में नाम लिखकर और पेड़ों के तनों पर तस्वीर बनाकर उनके दिल में तीर घुसाकर अपने प्यार का इजहार करते हैं, उससे तो यह अच्छा ही है।"

"दोनों बातें गलत दिमाग की उपज हैं," बूटा घोषणा करते हैं। "अरे अगर आप किसी को प्यार करते हैं, तो उसे जाकर सीधे कहिए, 'मैं तुम्हें प्यार करता हूँ।' वे इसका बुरा नहीं मानेंगे, शायद जवाब भी दें। लेकिन स्पीड पोस्ट या कूरियर द्वारा प्यार का यह इजहार मेरी समझ में नहीं आता।"

"यह इश्क नहीं, इश्तिहारबाजी है," बेग ने कहा। 'प्यार तो बहुत व्यक्तिगत होता है, उसे किसी को बताया नहीं जा सकता।"

"गालिब नामबरों की बात करते हैं, सन्देश ले जाने वालों की, लेकिन वे प्रेम-पत्र ही ले जाया करते थे, क्योंकि तब डाक-सेवाएँ नहीं थीं," बेग

कहते हैं। "जो हो, शर्मा जी, यह बताइए कि इन औरतों को आपने जो इतने कीमती कार्ड भेजे, उनके साथ आपने क्या किया?"

"कुछ नहीं," शर्मा जी बोले, "यह कुछ करने के लिए थोड़े ही भेजे जाते हैं।"

"फिर आप शिव सेना या बजरंग दल पर एतराज क्यों करते हैं, यदि वे दुकानदारों को ये बेकार कार्ड बेचने से रोकते हैं", बेग कहते हैं!

"क्योंकि यह उनका काम नहीं है। यह, मेरा पैसा है और मैं इसे जैसे चाहूं, खर्च करूँ?" शर्मा ने कहा।

बूटा अब बातचीत में दखल देकर कहते हैं, "इस बात में मैं शर्मा से इत्तेफ़ाक रखता हूँ। ये फंडूस हिन्दू तालिबान हैं। अफगानी तालिबान स्त्रियों को ज़बरदस्ती बुरका पहनाते हैं, जीन्स पहनने पर उन पर हंटर बरसाते हैं, और अगर वे अपने शौहर के अलावा किसी और के साथ सोयें, तो पत्थर मार-मारकर उनकी हत्या कर देते हैं। हमारे लोग उन्हें तंग करते हैं, उनकी संपत्ति जब्त कर लेते हैं। वे कोणार्क और खजुराहो की उन मूर्तियों पर आपत्ति नहीं करते जिनमें स्त्री-पुरुषों को संभोग करते दिखाया गया है—क्योंकि ये भारतीय कला के नमूने हैं—लेकिन अगर हुसेन जैसा कोई कलाकार किसी हिन्दू देवी को नंगी बनाता है, वे उसकी प्रदर्शनियों पर हमला कर देते हैं, उसके खिलाफ़ मुकदमे करते हैं, और बेचारे को जो शायद देश का सबसे प्रतिष्ठित जीवित कलाकार है अपना देश छोड़कर क़तर में रहने को विवश करते हैं। मैं कहता हूँ, इन्हें अभी दबा दो, नहीं तो ये बाद में हमें दबाएँगे। मैं, उनके चेहरों पर थूकता हूँ, उनके चूतड़ों पर थूकता हूँ।"

"सरदार, शान्त हो जाओ," शर्मा ने कहा, "वेलेन्टाइन मनाने का यह ढंग नहीं है। घर जाओ और किसी ऐसे को लम्बा सा प्रेम-पत्र लिखो, जो उसे पढ़ने वाला हो।"

इस तरह सनसेट क्लब के सदस्यों के लिए 14 फरवरी 2009 की शाम खत्म हुई।

~

आधा महीना अभी बाकी था। सनसेट क्लब की हाजिरी नियमित नहीं रही। पन्द्रह तारीख को तीनों आए, लेकिन अगले दिन बूटा गायब हो गए। "सरदार को क्या हुआ?" बेग ने पूछा। "पता नहीं," शर्मा ने कहा। "मैं नौकर को भेजूँगा पता लगाने।" बूटा दूसरे दिन भी नहीं आते। शर्मा बताते हैं, "उनके बड़े भाई नहीं रहे।"

"इन्न इल्लाह एव इन्न इलाहे रजाअन", बेग ने आयत पढ़ी। "यानी अल्लाह ने जो आपको दिया, उसे वापस ले लिया। मौत की खबर सुनने पर हम मुसलमान यह कहते हैं। बीमार थे क्या?"

"बूटा से दो-तीन साल बड़े थे। कई साल से व्हील चेयर पर रहते थे। बहुत ऊँचा सुनते थे। यह समझना मुश्किल था कि क्या कहना चाह रहे हैं। रात-दिन बीवी और चारों बच्चे देखभाल में लगे रहते थे। आखिरी दिनों में कोई इससे ज़्यादा क्या उम्मीद कर सकता है?"

"ज़रूर अल्लाह से डरने वाले, अच्छे शख़्स रहे होंगे," बेग ने टिप्पण की।

"एक बात है," शर्मा ने कहा! "अपनी बेटी को बहुत प्यार करते थे। अमेरिका में रहती थी—कुछ प्रोफेसर वगैरह थी। जब डूबने लगे, उसे खबर भेजी गई। सेशन चल रहा था लेकिन छुट्टी लेकर वह पिता के पास आ गई। ताज्जुब की बात यह है कि वह शाम को छह बजे दिल्ली पहुँची, आधे घण्टे बाद घर आई, और जब उनका हाथ पकड़ा, उनकी साँस निकल गई। लगता था जैसे वे उसी के आने का इन्तज़ार कर रहे थे।"

"मैंने ऐसी और भी घटनाएँ सुनी हैं—लोग आखिरी साँस छोड़ने

तक अपने प्रियजन का इन्तज़ार करते रहते हैं। अल्लाह उनकी आखिरी इच्छा पूरी करता है," बेग ने कहा।

दो और शामें बूटा के बिना गुज़र जाती हैं। बेग पूछते हैं, "सिखों में कितने दिन मातम मनाया जाता है?"

"उनके रिवाज़ हिन्दुओं जैसे ही हैं," शर्मा जवाब देते हैं। "यह चौथा हो सकता है, श्राद्ध या डालिया, दहाया-दसवाँ दिन–जब उनकी अन्तिम अरदास होती है। लेकिन बूटा इन बातों में विश्वास नहीं करते–या ऐसा वे कहते हैं। उनके बारे में कुछ कहा नहीं जा सकता।"

बूटा कुछ और दिन लेते हैं और चार दिन बाद प्रकट होते हैं। बेग मातमपुर्सी के शब्द कहते हैं। लेकिन वे इसे दर गुजर कर देते हैं और कहते हैं, "पिछले पाँच साल से वे मृत की तरह ही थे। यह खुद उनके लिए और दूसरों के लिए बड़ी राहत साबित हुई। और डॉ. अमिता मलिक और विक्टर कीर्नन भी नहीं रहे। दोनों हफ्ते भर में चल बसे।"

"कौन थीं ये मोहतरमा? मुझे उनके बारे में जानने का हक़ है? और ये कीर्नन साहब?" बेग ने पूछा।

"आप किस दुनिया में रहते हैं?" बूटा ने बेग से सवाल किया। "किसी पढ़े-लिखे भारतीय से पूछिए, वह बताएगा कि अमिता मलिक रेडियो और टी.वी., प्रोग्रामों की सबसे मशहूर आलोचक थीं। बंगाली हिन्दू, लेकिन शादी पंजाबी मुसलमान से की थी। और कीर्नन, उर्दू शायरी का सबसे अच्छा अनुवादक, फैज़ और गालिब का। स्काट्समैन जो कई साल लाहौर में रहा। उसके अनुवाद किताबों की सब दुकानों पर मिलते हैं।"

"दोनों मुझे माफी दें," बेग बोले, "मैं बहुत कम रेडियो सुनता हूँ या टी.वी. देखता हूँ और गालिब और फ़ैज़ दोनों मैंने उर्दू में पढ़े हैं। मुझे उनके अंग्रेज़ी अनुवादों की क्या ज़रूरत है?"

"ठीक कहा", शर्मा ने टिप्पणी की। "ये तुम जैसे लोग हैं जो उर्दू नहीं जानते और अपनी धाक जमाने के लिए अंग्रेज़ी अनुवाद पढ़ते हैं।"

लेकिन बूटा शर्मा की किसी बात पर चुप नहीं रहना चाहते। वे

कहते हैं, "ओए पण्डित जी, मैं तो जो किताबें लेता हूँ, उन्हें पढ़ता भी हूँ। तुम तो दीमक को खिलाने के लिए इकट्ठी करते हो।"

बेग जी भरकर हँसे। "मेरे पास अंग्रेज़ी की एक भी किताब नहीं है। दीमक उर्दू नहीं पढ़ सकती, इसलिए वह उन्हें नहीं खाती।"

जब वे घर लौटने को तैयार होते हैं, बेग कहते हैं, "खुदा की कसम, जब आप पार्क नहीं आते, मैं उदास हो उठता हूँ और डिनर भी अच्छा नहीं लगता।"

बूटा कहते हैं, "भाई साहब, हम सब उम्र में बढ़ रहे हैं। अब हमें उस दिन की तैयारी करनी चाहिए जब यह महफ़िल खत्म हो जाएगी।" और वे यह पंजाबी कविता कहते हैं–

ना तो बुलबुल सदा ही गाती
ना ही रहती सदा बहार
ना ही रहती खुशी हमेशा
ना ही महफिल ना ही प्यार

"वाह, वाह," बेग ने दाद दी। "लेकिन हमें तब तक मिलते रहना चाहिए जब तक चली चले।" और वे बहादुर शाह जफर का यह शे'र सुनाते हैं–

उम्रे-दराज़ मांगकर
लाये थे चार दिन
दो आरज़ू में कट गए
दो इन्तज़ार में

3

वसंत के बाद गर्मी

मार्च में मृत्यु और जन्म साथ-साथ चलते हैं। यह पतझर का समय होता है और उनकी जगह नए पत्ते उगते हैं। पीपल, नीम, कोसम और बहुत से दूसरे पेड़ बिल्कुल नंगे होकर नए कपड़े पहनते हैं। शहतूत के दरख्त, जो सूखी लकड़ियों की वस्त्र विहीन छतरियों की तरह लगते हैं, उन पर भी मध्य फरवरी तक हरियाली की परत चढ़ आती है और होली तक, जो इस साल 11 मार्च को पड़ी, ये सूँड़ियों जैसे हरे या बैंगनी फलों से लद जाते हैं, जिन्हें लोग बड़े स्वाद से खाते हैं। यह पक्षियों के मिलन का भी समय होता है। गौरेया पक्षी, जो अब दिल्ली में बहुत कम दिखाई देते हैं, बहुत आकर्षक व्यवहार करते थे–नर पक्षी मादा के चारों तरफ उसे रिझाने के लिए फुदक रहा है, लेकिन मादा है कि उससे भागती फिरती है। लेकिन फिर वह सचेत होकर बैठ जाती है और अपने अंग पुरुष के लिए खोल देती है। अन्य पक्षियों की भी यही कहानी है। वे अपने खूबसूरत पँख फड़फड़ाते हैं और अपनी मादाओं के सामने तब तक नाचते हैं, जब तक वे उत्तेजित नहीं हो जातीं कि उन्हें आत्म समर्पण कर सकें। इस तरह नई ज़िन्दगी के बीज बोए जाते हैं।

मृत्यु और पुनर्जन्म का यह ढंग मनुष्यों में भी इसी प्रकार सम्पन्न होता है। कांग्रेस तथा प्रधानमन्त्री के रूप में मनमोहन सिंह द्वारा चलाई गई सरकार का पाँच साल का कार्यकाल समाप्त हुआ और नए आम चुनावों की घोषणा की गई। कहने की ज़रूरत नहीं कि सनसेट क्लब के सदस्यों के बीच यह गर्मागर्म बहस का विषय बना हुआ है। 2 मार्च की शाम जब वे फिर मिले तो शर्मा ने बूटा पर हमला करते हुए बहस की शुरुआत की–

"तो बूटा जी, सरदारों का पाँच साल का शासन खत्म हुआ और अब हमें एक नई सरकार का चुनाव करना है।" बूटा के जवाब देने से पहले वे कहते हैं, "सुनो, मैं मनमोहन सिंह के बिल्कुल खिलाफ नहीं हूँ। वह बड़े विद्वान हैं, हर इम्तहान में अव्वल आए और कैम्ब्रिज में प्रथम रहे। अध्यापक भी वे अच्छे थे। उनकी आकांक्षा थी कि इकानॉमिक्स के प्रोफेसर बन जाएं और चण्डीगढ़ में बस जाएं। लेकिन यह सब उस दिन बदल गया जब उन्हें डॉलर की मोटी तनख्वाह पर राष्ट्रसंघ में नौकरी मिल गई और वे न्यूयॉर्क चले गए। फिर रिजर्व बैंक के गवर्नर बनकर भारत लौट आए। प्रधानमन्त्री नरसिंह राव ने उन्हें वित्तमंत्री बना दिया और असम से राज्य सभा के लिए चुनवा भी दिया। अपने आप वे पंचायत के चुनाव में भी नहीं जीत पाते। अब स्थिति वही है। सोनिया गाँधी जानती हैं कि इटली में पैदा हुई होने के कारण देश के लोग उन्हें प्रधानमंत्री के रूप में स्वीकार नहीं करेंगे और उनका बेटा राहुल अभी बहुत छोटा है और प्रधानमन्त्री होने लायक अनुभव उसके पास नहीं है। इसलिए उन्होंने उनकी जगह एक महत्त्वाकांक्षा से ही न ऐसे आदमी को बिठा दिया जो नुकसान नहीं पहुँचा सकता। देश के असली शासक सोनिया और राहुल हैं, मनमोहन सिंह नहीं। आडवाणी तो उन्हें निकम्मा कहते हैं।"

"ओय, ओय, ओय, पण्डित शर्मा, तुम किस दुनिया में रहते हो?" बूटा ने उलटकर जवाब दिया। "वे आज तक हुए प्रधानमन्त्रियों में सबसे

अच्छे हैं। विद्वान, बेहद अनुभवी और उन्होंने देश की अर्थनीति को एकदम बदल दिया है। हर आदमी, पाँच साल पहले जैसा था, उससे बेहतर हालत में है। याद है, कुछ दिन पहले जब उनके दिल की सर्जरी हुई थी, तब देश भर के मन्दिरों, मस्जिदों, गिरजाघरों और गुरुद्वारों में उसी तरह प्रार्थनाएँ की गई थीं, जैसे अमिताभ बच्चन की दुर्घटना के समय, जिसमें कहा गया था कि उनकी मृत्यु हो जाएगी, की गई थीं। बहुत जल्द पता चल जाएगा कि जनता उन्हें निकम्मा कहती है या हिन्दू फंडूसों के उस सिंधी हीरो को कहती है। बेग, तुम्हारा इस बारे में क्या कहना है?''

''भैया, मैं राजनीति में टाँग नहीं अड़ाता'', बेग ने जवाब दिया। ''मैं अपनी बेगम के अनुसार कहता हूँ, कि मनमोहन भलामानस, शरीफ़ और मिटा हुआ इनसान है। प्रधानमन्त्री से आप और क्या चाहते हैं?''

लेकिन बूटा के लिए यह काफी नहीं है। वे शर्मा को चुनौती देते हैं। पण्डितजी, ''तुम मेरे साथ शर्त लगाओगे–कि अगला प्रधानमन्त्री कौन होगा? आडवाणी या मनमोहन?''

शर्मा कँधे हिलाकर कहते हैं, ''मैं बेवकूफी की बातों पर शर्त नहीं लगाता। और मैं परवा भी नहीं करता कि कौन जीतता है और मैं तो वोट भी नहीं देता। मेरे नौकर ही वोट देते हैं और बाद में मुझे बताते हैं, ''हमने हिन्दू पार्टी के लिए वोट दिया।''

''इसका मतलब है भाजपा, है न?'' बेग ने सवाल किया। ''और मैं भी वोट नहीं देता। घण्टे भर तक लाइन में खड़े रहना इस उम्र में मेरे बस का नहीं है। लेकिन मेरी बेगम, नौकर और दूसरे लोग पंजे को वोट डालते हैं–जो कांग्रेस पार्टी का निशान है–हर चुनाव में उन्होंने यही किया है।''

शर्मा बहस को खत्म करते हुए सलाह देते हैं–''जब तक तय करने का समय न आ जाए, तब तक इंतज़ार करना ही सबसे अच्छा है। चुनाव में लड़ रही सभी पार्टियों के प्रोग्रामों की जाँच करो, उन्होंने जो किया, उसे देखो-परखो, जो वादे किये वे पूरे किए या नहीं। हर चुनाव में वे

कहते हैं गरीबी हटाओ, लेकिन कहाँ हटी है गरीबी। वे रोटी, कपड़ा और मकान के वादे करते हैं। बासठ साल के बाद भी आधे से ज़्यादा लोग भूखे सोते हैं, कपड़े के नाम पर उनके पास लंगोट है और ज़्यादातर लोग मिट्टी या फूस की झोंपड़ियों में रहते हैं। भ्रष्टाचार का बोलबाला है। हम दुनिया के सबसे भ्रष्ट देशों में गिने जाते हैं। हम दावे बहुत बड़े करते हैं जबकि हमें शर्म से सिर झुका लेना चाहिए।''

शर्मा अपने भाषण से बहुत खुश नज़र आया। बूटा ने हमेशा की तरह उनके अहं में छेद करने की कोशिश की। ''अपने देश की समस्याओं को सुलझाने का मेरे पास एक बहुत शानदार विचार है। हम मनमोहन और आडवाणी को भूल जाएँ और पण्डित शर्मा को देश का प्रधानमन्त्री चुन लें। बेग, तुम क्या कहते हो?''

''मैं सौ फीसदी सहमत हूँ इस बात से, बशर्ते शर्मा जी तैयार हों।''

शर्मा इस पर शान्ति बनाए रखते हैं और अपना छक्का मारते हैं, ''तुम जैसे लोगों पर वक्त बर्बाद करने की ज़रूरत नहीं है। तुम लोग सोचते हो कि चुनाव हर पाँच साल बाद होने वाला तमाशा है। गुडनाइट!''

सब 'बूढ़ा बिंच' से उठ पड़े और घर लौटने को तैयार हुए।

~

पहला हफ्ता खत्म होने के बाद सनसेट क्लब की हाज़िरी कुछ अनिश्चित हो जाती है। 9 तारीख की शाम को बेग घोषणा करते हैं, ''भाई, मैं कल शाम नहीं आऊँगा।''

''खैर तो है?'' शर्मा पूछते हैं।

''अल्लाह का शुक्र है,'' बेग दोनों हाथ उठाकर जवाब देते हैं। ''कल ईद मिलाद-उन-नबी है। हमारे पाक पैगम्बर अपने जन्म के दिन ही मरे थे, इसलिए इसे बारा वफ़ात भी कहते हैं।''

"तो तुम उनका जन्मदिन मनाते हो या मौत का शोक?" शर्मा पूछते हैं।

"दोनों करते हैं। यह जन्म और मृत्यु दोनों की एकता का प्रतीक है—जहाँ जन्म है, मृत्यु तो होनी ही है, दोनों एक साथ चलते हैं, मेरी बेगम कहती हैं कि दिन भर मैं घर पर रहूँ और ईद के लिए मिलने आने वालों से मिलूं-जुलूं। मैं दोपहर की नमाज़ पढ़ने मस्जिद जाता हूँ और लंगर के लिए निजामुद्दीन की दरगाह। यह ज़कात भी है, दान, जो इस्लाम में ज़रूरी है।"

बूटा उन्हें परेशान करने के लिए कहते हैं, "मैं तो मुसलमानों के बारे में यह जानता हूँ कि वे इस दिन नए कपड़े पहनते हैं, तीन दफ़ा एक-दूसरे को गले लगाते हैं, सड़कों पर नमाज़ अता करते हैं और जी भरकर खजूर और सिवइयाँ खाते हैं। ठीक कहता हूँ न, बेग साहब?"

"मोटे तौर पर, हाँ," बेग जवाब देते हैं। "लेकिन आप हिन्दू और सिखों की तरह हम बैंड-बाजे, हाथी, गतका-खिलाड़ी, और गाने-बजाने वालों के साथ बड़े-बड़े जुलूस नहीं निकालते, जिनसे शहर का काम-काज रुक जाता है। दुकानें बन्द हो जाती हैं, रोज़दार मज़दूर कुछ नहीं कमा पाते। लोगों को अपनी ट्रेनें और उड़ानें बदलनी पड़ती हैं, बीमार अस्पतालों तक नहीं पहुँच पाते। आपके जुलूसों से दूसरों की ज़िन्दगी गड़बड़ा जाती है।"

"तूशे," शर्मा ने फ्रेंच का शब्द इस्तेमाल किया, यह उन आठ शब्दों में से था जो उन्हें याद रह गए थे। वे इसका मतलब समझाते हैं—"फेन्सिंग में—फेन्सिंग क्या होती है, जानते हैं? भोथरे हथियारों के साथ बनावटी लड़ाई; जब कोई दूसरे पर चोट करता है, तो रेफ़री चिल्लाकर कहता है, तूशे और उसकी जीत घोषित करता है। मैं बेग को तूशे कहता हूँ क्योंकि उसे हम दोनों पर जीत हासिल हुई है।" फिर थोड़ी देर रुककर वे कहते हैं, "मैं परसों नहीं आऊँगा क्योंकि होली है और मेरे रिश्तेदार और दोस्त मिलने आएँगे।"

"होली नहीं, हुल्लड़बाज़ी। लोगों पर रंग डालो, लड़कियों के चेहरों पर गुलाल पोतो और उनकी छातियाँ सहलाओ, जुआ खेलो और भंग छानो," बूटा कहते हैं। "इसमें धर्म की बात क्या है?"

शर्मा इसका जवाब देते हैं। "तुम हर बात की बुराई ही देखते हो। तुम गर्मागर्म मीठे दूध में भंग डालकर पियो तो ऐसी मज़े की नींद आएगी कि चौबीस घण्टे सोते रहोगे।"

तीनों देर तक हँसते हैं। "अब हम त्यौहार के बाद मिलेंगे," बेग कहते हैं और तीनों अपनी राह चले जाते हैं।

~

होली की शाम शर्मा 'बूढ़ा बिंच' से गायब रहे। बूटा ने बेग से कहा, "आज वे भंग का बड़ा पेग लगाकर मौज कर रहे होंगे।"

"तुमने कभी टेस्ट की है?" बेग पूछते हैं।

"कभी-कभी," बूटा जवाब देते हैं। "जैसे नींद की कई गोलियाँ ले ली हों। बहुत गहरी नींद। कोई खुमारी नहीं। निहंग सिख इसके आदी बन गए हैं। वे इसमें बादाम और दूध मिलाते हैं और 'सुख परशाद'—शान्ति देने वाला प्रसाद कहकर पीते हैं। ये लोग बहुत बोलते हैं और कोई काम नहीं करते—निखट्टू।"

"अफ़ीम जैसी लगती है, उसका भी यही असर होता है। कभी-कभी ज़रा-सी लेने का कोई बुरा असर नहीं होता। लेकिन अगर कोई अफ़ीमची बन जाए तो वह बेकार हो जाता है। मैं कहता हूँ, हर चीज़ कम ही लो, शराब हो या ड्रग्स। इन्हें बन्द करने वाले लोग बकवास करते हैं।

"इनको बकते रहने दो," बूटा जैसे फैसला देते हुए कहते हैं।

कुछ क्षण के लिए सब चुप हो जाते हैं, फिर बूटा कुछ ऐसी बात कहते हैं जो उन्हें बहुत दिन से सता रही है। "बेग, हमने शर्मा और

मैंने–अपने बारे में हर बात बता दी है, लेकिन तुमने आज तक कुछ नहीं बताया।''

''क्या मतलब है तुम्हारा? मेरे बारे में तुम लोग क्या जानना चाहते हो?''

''तुम्हारी सेक्स लाइफ के बारे में। यह तुम्हारी बेगम तक तो सीमित रही नहीं होगी?''

''जिससे तुम लोग ढोल बजाकर यह सब लोगों को सुनाओ?''

''नहीं, नहीं,'' बूटा विश्वास दिलाते हैं। ''मैं शर्मा को भी नहीं बताऊँगा। खुदा की कसम।''

''ठीक है। मैं तुम्हें बताऊँगा लेकिन एक शब्द भी बाहर निकला तो तुमसे हमेशा के लिए नाता तोड़ लूँगा। तुम क्या जानना चाहते हो?''

''तुम्हारी ज़िन्दगी में जो सबसे यादगार सेक्स का वाकया हुआ हो।''

बेग चारों तरफ देखते हैं कि कोई सुन तो नहीं रहा है। फिर बताते हैं–''बहुत साल पहले की बात है। बेगम सकीना घर गई हुई थीं क्योंकि पेट में बच्चा था। मैं कुछ बदलाव चाहता था। एक वेश्या के बारे में सुन रखा था, जिसका नाम था नूरमहल। वह अपने पेशे से रिटायर हो गई थी लेकिन राजघरानों की कई सुन्दर लड़कियाँ, जिनके दिन खराब हो गए थे, उसके कब्जे में आ गई थीं। उसने उन्हें नाचना-गाना सिखाया और जामा मस्जिद के पीछे चावड़ी बाज़ार के अपने अड्डे पर रखा। मैंने उसके यहाँ जाने का फैसला किया। मैंने अपने शोफ़र से कहा कि शाही मस्जिद के पीछे पड़े बड़े मैदान में मुझे छोड़ दे और मेरा इन्तज़ार करे। मैं कोठे पर गया और ऊपर पहुँचा। मैडम ने मेरा स्वागत किया। उसने देखा कि मैं भी मुसलमान हूँ। जब मैंने उसे अपना नाम बताया तो उसने अंदाज़ लगा लिया कि मैं कौन हूँ और तपाक से मुझे भीतर लिया। ''आप आए तो हमारी किस्मत जग गई'' वगैरह कहा। मुझसे पहले आए वहाँ तीन लोग मौजूद थे–तीनों अमीर। मुजरा चल रहा था। हमने सलाम-दुआ

कहा, और मैं दरी पर तकिए से पीठ लगाकर बैठ गया। मैडम ने पूछा कि क्या मुझे ह्विस्की चाहिए, और क्या मेरी किसी गाने की फरमाइश है? मैंने कहा, "जो उन्हें अच्छा लगता हो, वह गायें?"

"ह्विस्की के कई पेग चढ़ा लेने के बाद मैंने नाचने वालियों पर नज़र डाली। सब बहुत अच्छी थीं लेकिन एक बला की खूबसूरत थी। बलूत के पेड़ की तरह लम्बी, छरहरी, बादाम जैसी आँखें, भरी हुई छातियाँ, पतली कमर और गोलाईदार पुट्‌ठे। काले बाल कमर तक गिर रहे थे। बिल्कुल परी लग रही थी जो स्वर्ग से आई हो। मैं उससे अपनी आँखें नहीं हटा पा रहा था। उसने यह महसूस किया और मेरी तरफ़ एक मुस्कान फेंकी। मैंने दो मुजरे देखे, लड़कियों और सारंगी-तबले वालों पर सौ-सौ के नोट फेंके, और तीन ह्विस्की पी गया। तब मैडम मेरे पास आकर कान में बोली, "नवाब साहब, क्या कोई लड़की हाज़िर की जाए?"

"वह लम्बी वाली, अगर वह चाहे तो।" मैंने फुसफुसाकर कहा।

"वह मेरे हाथ पकड़कर पीछे की तरफ एक कमरे में ले गई। इसमें बड़े-बड़े शीशे लगे थे, डबल बेड पड़ा था और गुलदस्तों में खिले हुए गुलाब रखे थे। एक मिनट बाद वह लड़की आई और उसने मुझे आदाब बजाया। मैडम ने उसका नाम मस्तानी बताकर मुझे पेश किया। मैं जानता हूँ कि यह उसका असली नाम नहीं था, बल्कि यहाँ के इस्तेमाल के लिए दिया दूसरा नाम था। मैडम हमें उस कमरे में छोड़कर दरवाज़ा बन्द करके चली गई। मस्तानी ने भीतर से कुंडी बंद की और अपने बिछिये उतारे। वह मुझसे पूछने लगी, "नवाब साहब, आपकी नज़र क्योंकर इस नाचीज़ बांदी पर पड़ी?"

"माशा अल्लाह! उसने आपको इतनी खूबसूरती से नवाज़ा है। मैं आपसे अपनी नज़र उठा ही न सका। आप इस जैसी जगह में कैसे आ गईं? आपको तो महलों में होना चाहिए था।"

"उसने अपने माथे पर हाथ मारकर कहा, "यह मेरी किस्मत थी।

अगर अल्लाह चाहे तो अब भी मुझे अच्छा शौहर दे दे और मैं भी बेगम कहलाऊँ।''

''वह शर्म से लाल पड़ रही थी! उसने अपनी कुरती उतारकर दरी पर डाल दी और दोनों हाथों से आँखें ढक लीं। ''यह काफ़ी नहीं है,'' उसे अपनी तरफ खींचते हुए मैंने कहा। एक झटके से मैंने उसकी शलवार की गाँठ खोल दी, और सलवार उसके पैरों पर गिर पड़ी। वह एकदम सफेद संगमरमर की मूर्ति की तरह मेरे सामने खड़ी थी।

''मैंने उसे बिस्तर पर अपने बगल में लिटा लिया। फिर मैंने उसे आँखों से चूमना शुरू किया, गाल, गर्दन, छातियाँ, पेट, जाँघें, पैर, अँगूठे तक पूरा बदन चूमा और फिर उसी तरह नीचे से ऊपर माथे तक धीरे-धीरे चूमता रहा। फिर जी भर कर संभोग किया।

बूटा जी, इस रात मुझे सेक्स का जो मज़ा आया वैसा तब तक कभी नहीं आया था।''

''फिर क्या हुआ?'' बूटा ने पूछा।

''मैंने उसे तीन हज़ार रुपये दिए। उसने एतराज़ तो किया कि ये बहुत ज़्यादा हैं, लेकिन ले लिए।''

''तुम उसके पास फिर गए?'' बूटा ने पूछा।

''हाँ, तीन-चार दफ़ा गया। वह कहने लगी कि वह मुझे प्यार करने लगी है और मैं उससे शादी कर लूँ, वह नौकरानी की तरह मेरे पास पड़ी रहेगी। इससे मैं उसके प्रति ठण्डा पड़ गया। आखिरी दफ़ा उससे मिलने गया तो उसने कहा कि उसे मुझसे गर्भ रह गया है। कोई भी वेश्या जो हर हफ्ते एक दर्जन आदमियों के साथ सोती है, इस तरह अपने बच्चे के पिता का नाम नहीं बता सकती। फिर मैं उसके पास नहीं गया। मस्तानी के साथ मेरा प्यार यहाँ खत्म हो गया। यह प्यार लौट-लौटकर मेरे पास आता है और मैं किसी को इसे बताना चाहता हूँ। इसलिए तुम्हें बताया। अब बूटा सिंह, तुम इसे अपने तक रखो और किसी को भी इसे मत बताना। नहीं तो मैं तुम्हें कत्ल कर दूँगा।''

"नहीं बताऊँगा," बूटा ने विश्वास दिलाया।

सूरज डूबने को था, और पार्क खाली हो चुका था। दोनों एक-दूसरे से अलग हुए।

~

बेग, जो आमतौर पर देश में होने वाली घटनाओं की फ़िक्र नहीं करते, 19 मार्च की शाम बहुत उत्तेजित थे। वे 'बूढ़ा बिंच' पर बैठने के लिए सबसे पहले आ गए और अपनी छड़ी से अपने जूतों को बेतहाशा खटखटाने लगे, कि कब उनके और साथी आएँ और बातचीत शुरू हो। फिर वे आते हैं और आपस में दुआ-सलाम होती है, तो बेग फौरन फूट पड़ते हैं—"मुझे उम्मीद है कि आपने मेनका गाँधी के लौंडे वरुण का पीलीभीत की चुनाव सभा में दिया भाषण अखबार में पढ़ा है। मेरी बेगम ने इसे मुझे पढ़कर सुनाया। उसने कहा कि मुसलमानों के फजलुल्लाह और दूसरे उल्लाह जैसे डरावने नाम होते हैं और वह हमारे हाथ काट डालेगा। इसमें मैं भी शामिल हूँ क्योंकि मेरा नाम बरकतुल्लाह बेग है।"

बूटा कहते हैं, "ग़ालिब भी उल्लाह थे, असदुल्लाह खाँ गालिब और बम्बई की वह मोटी-सी औरत भी है जो अपने को मौलाना आज़ाद की भतीजी बताती है, और अपने चाचा के साथ एक फर्जी फोटो में अपनी तस्वीर दिखाकर अपना दावा जताती है। पहले वह कांग्रेस पार्टी की मेम्बर थी, अब भाजपा की है। नज़मा हेप्तुल्ला नाम है उसका। जानते हो उसने अपने दल-बदल की सफ़ाई कैसे दी? उसने कहा "हर आदमी की ज़िन्दगी में एक मोड़ आता है।" और यह कहकर उसने मोड़ ले लिया। महात्मा गाँधी और इन्दिरा गाँधी की ज़िन्दगी भर अनुयायी रहने के बाद जब उसने देखा कि अब यहाँ से कुछ हासिल होने वाला नहीं है, तो उसने वीर सावरकर और एल.के. आडवाणी का दामन थामना सही समझा। उस पर कोई विश्वास नहीं करता।"

"मेरा ख्याल है कि वरुण ने इसे यूँ नहीं कहा होगा," शर्मा ने धीरज से कहा। "उसकी माँ का कहना है कि स्पीच को बदला गया है।"

बूटा पूछते हैं, "जब किसी माँ का बेटा इस तरह गधेपन की बात करता है, तो वह कह भी क्या सकती है?"

लेकिन बेग शान्त नहीं होते। "बड़ी शर्मनाक बात है। वह कहता है कि मुसलमान उसे वोट न दें। लेकिन मुझे विश्वास है कि उसकी पार्टी के नेता मुसलमानों के वोट ज़रूर चाहते होंगे। लेकिन फिर भी किसी ने उसकी आलोचना नहीं की। आप देखिए, अगले आम चुनाव में भाजपा को एक भी मुस्लिम वोट नहीं मिलेगा।"

शर्मा फिर बात को नरमी से पेश करने की कोशिश करते हैं। "इसमें कई मुसलमान ऊँचे पदों पर हैं। एक तो पार्टी का सेक्रेटरी ही है, एक निर्वाचित संसद सदस्य है, और जिस मोटी औरत का अभी ज़िक्र किया गया, वह भी पार्टी में बड़ी नेता है।"

"दलबदलू आराम से मिल जाते हैं," बूटा ने कहा, "अच्छा, मैं एक बात कहता हूँ। अगर वरुण मुसलमानों के हाथ लग जाए, तो वे उसका सिर नहीं काटेंगे, कुछ ज़्यादा ज़रूरी चीज़ काटेंगे।"

यह सुनकर सब हँसते हैं। बेग अंदाज़ लगाते हैं कि बूटा तो उनके साथ हैं, लेकिन शर्मा, हमेशा की तरह, बीच में है।

23 मार्च को सब अखबारों में खबर छपी है कि रतन टाटा बाज़ार में नैनो नामक एक छोटी कार उतार रहे हैं, जिसकी कीमत सिर्फ एक लाख रुपये है। इसलिए सनसेट क्लब के सदस्यों के लिए इस पर बहस करना जरूरी हुआ। हमेशा की तरह बूटा ने आक्रामक लहज़े में बात शुरू की। "हमारी सड़कें पहले से ही हर समय मोटर गाड़ियों से लदी-फँदी रहती हैं, अब इस टाटा वाले ने इसमें एक और नमूना जोड़कर इसे बढ़ाने का काम किया है। हर लल्लू-पंजू जो अब तक साइकिल या स्कूटर से काम चलाता था, अब नैनो खरीदकर यातायात को एकदम जाम कर देगा।"

शर्मा विरोध करते हैं–"हमें दुनिया की सबसे सस्ती कार तैयार करने पर गर्व होना चाहिए–चीन ने भी इतनी सस्ती कोई चीज़ नहीं बनाई। और मेरी यह बात तुम लोग गाँठ बाँध लो कि पारसी बंदा जो कुछ भी बनाता है, गुण में सबसे अच्छा होता है। यह काम सरकार और म्युनिसिपैलिटियों का है कि सड़कें चौड़ी करें और फ्लाई ओवर बनाएँ। बेग साहब, आप मेरी बात मानते हैं या नहीं?"

बेग हँसकर जवाब देते हैं–"मैं आप दोनों से पूरी तरह सहमत हूँ। पाँच साल पहले मुझे निज़ामुद्दीन से लोदी गार्डन पहुँचने में पाँच-सात मिनट लगते थे, अब पन्द्रह मिनट से आधा घण्टा लग जाता है क्योंकि मथुरा रोड का यह छोटा-सा टुकड़ा हमेशा कारों से भरा रहता है। फिर भी मैंने नैनो खरीदने वालों की लिस्ट में अपना नाम दर्ज करा दिया है। मेरी बेगम चाहती थीं कि मैं भी लूं। मेरी मर्सीडिज़ बेंज़ पचास लाख से ज़्यादा रुपये में आई, मारुति स्विफ्ट के पाँच लाख लगे। इनके सामने नैनो की कीमत कुछ भी नहीं है। और बूटा सिंह जी, मैं कोई लल्लू-पंजू नहीं हूँ। मैं नवाब बरकतुल्ला बेग देहलवी हूँ।"

"आपकी नैनो आपको मुबारक हो," बूटा सिंह तंज़ूभरे लहज़े में कहते हैं। "आप अपने नौकरों के लिए भी दस नैनो क्यों नहीं खरीद देते–तब आप नवाब नैनो वाला ऑफ निज़ामुद्दीन कहे जायेंगे।"

"इंशा अल्लाह! आपके मुँह में घी-शक्कर।" बूटा के इस कथन से बहस खत्म हो गई।

~

25 मार्च को सवेरे हल्की बारिश होने लगी। इसने आसमान में फैली धूल-मिट्टी खत्म कर दी, और पेड़ और मैदान साफ़-सुथरे, हरियाले दिखने। लगे। मौसम का तापमान भी एक-दो डिगरी कम हो गया और उम्मीद

बँधने लगी कि वसंत अभी तक गर्मी का पूरी तरह शिकार नहीं हुआ है। सनसेट क्लब के सदस्य शाम को मिलते हैं तो बड़े उत्साहित नज़र आते हैं। ''बारिश की कुछ बूँदें कितना सुकून देती हैं।'' बेग ने कहा, ''यह खुश बहार मौसम, मुझे उम्मीद है, कुछ दिन चलेगा।''

''मौसम लोगों को खुश करने के लिए नहीं बदलते'', शर्मा ने कहा, ''वे प्रकृति के रहस्यपूर्ण नियमों के अनुसार चलते हैं।''

''इसका जो भी मतलब हो,'' बूटा बात काटकर कहते हैं, ''सिर्फ पण्डित जी यह सब जानते हैं, उनका प्रकृति के साथ फोन से सम्बन्ध है।'' शर्मा मज़ाक को गुज़र जाने देते हैं।

4

अब अप्रैल आ गया

शर्मा अपनी बैठक में आराम कुर्सी पर बैठे गर्म दूध और शहद में मिले कार्नफ्लेक्स चबा रहे हैं, बगल की मेज़ पर चाय की केतली रखी है। डब्बू तीन उनके पैरों के पास सो रहा है, और नौकरों के बच्चे स्कूल जाने से पहले टी.वी. देख रहे हैं। आज बुधवार है। शर्मा कार्नफ्लेक्स खत्म करते हैं और चाय पीने से पहले अपने नकली दाँत निकालते हैं। उन्हें बाथरूम में एक पानी से भरे कटोरे में रख देते हैं। दाँतों के बिना शर्मा का चेहरा उखड़ा-सा लगता है। वे चाय का एक घूँट लेते हैं। डब्बू तीन अपना मुँह उठाकर मालिक की तरफ ले जाता है, जैसे कह रहा हो, "मुझे फ्लैट के बाहर कदमों की आहट सुनाई दे रही है। बाहर चलकर देखना चाहिए।" वह भौंकता हुआ आगे बढ़ता है, पवन उसके पीछे जाकर एक खत उठा लाता है और अपने मालिक को पकड़ा देता है। शर्मा लिफाफे पर नज़र डालते हैं। उस पर कोई मुहर नहीं है, लगता है, कोई खुद डाल गया है। वे लेख से पहचानने की कोशिश करते हैं; समझ में नहीं आता। पता जिस ढंग से लिखा गया है, वह उन्हें अच्छा लगता है–"माननीय श्री प्रीतम शर्मा, प्रतिष्ठित विद्वान, नई दिल्ली।"

वे लिफ़ाफा खोलते हैं। इसमें कोई लेटर-हेड नहीं है, न लेखक का नाम, पता या टेलीफ़ोन नम्बर है। तारीख भी नहीं है। लेख साफ़-सुथरा है और काफ़ी बना-बनाकर लिखा गया है।

"प्रिय आदरणीय प्रोफ़ेसर साहब, आप मुझे नहीं जानते लेकिन मैं आपको अच्छी तरह जानता हूँ। आपके जो भी लेक्चर होते रहते हैं, उन्हें मैं सुनता रहता हूँ। मैं आपके कहे शब्दों की इज़्ज़त करता हूँ, लेकिन आपसे बात करने की हिम्मत नहीं जुटा सका। मैं आपसे सिर्फ यह चाहता हूँ कि आप मुझे अपने पैरों के पास बैठने दें, जिससे मैं आपके पैर दबाऊँ और आपके साथ रहूँ। यह मैं बहुत ज़्यादा तो नहीं माँग रहा? यदि आप मुझे स्वीकार करने के लिए तैयार हों तो खिड़की पर रखे गमले में गुलाब का एक फूल इस तरह रख दें जो बाहर से दिखाई दे जाए, तो मैं समझ जाऊँगा कि आपका जवाब 'हाँ' है। इसके बाद मैं आकर आपको अपने बारे में बताऊँगा। या मैं न भी आऊँ और दूर से ही आपकी इज्जत करता रहूँगा–प्यार और इज़्ज़त के साथ, आपका प्रशंसक।"

शर्मा पत्र पढ़कर चकित रह जाते हैं। वे पत्र को दुबारा, फिर तिबारा पढ़ते हैं। उन्हें अपने दिए कुछ लेक्चर याद आते हैं। दो-तीन औरतें थीं जो हमेशा दिखाई पड़ती थीं। वे कैसी लगती थीं, यह उन्हें याद नहीं आया। उनमें से कोई हो सकती है। यह कोई धोखा भी तो हो सकता है? उन्हें ताज्जुब होता है और मज़ा भी आ रहा है।

इण्डिया इण्टरनेशनल सेंटर में लंच करने के बाद वे खान मार्केट में फूलों की दुकान पर रुकते हैं और कहते हैं, "एक गुलाब का फूल दो। जो तुम्हारे पास सबसे अच्छा हो।"

"एक ही, साहब? एक फूल कोई नहीं खरीदता। कम-से-कम चार या छह अपने गमले के लिए ले जाइए। देखने में अच्छे लगेंगे और खुशबू भी देंगे।"

"आज तो मुझे एक ही चाहिए," शर्मा जवाब देते हैं। "कितने पैसे?"

"पाँच रुपये", फूल वाला जवाब देता है और उन्हें एक लम्बी शाख वाला गहरा गुलाबी फूल पकड़ा देता है। फिर अपने नौकरों की तरफ मुँह करके भुनभुनाता है, "कमीना, कंजूस। सिर्फ एक फूल।"

शर्मा घर लौट आते हैं। आराम करने से पहले वे पवन से फूल को एक पानी के बर्तन में रखने को कहते हैं—और उसे खिड़की पर रखवा देते हैं। झपकी लेते हुए सोचते रहते हैं कि पता नहीं क्या होगा।

~

एक शाम जब बूटा लोदी गार्डन के चक्कर लगा रहे थे, उन्होंने मुहम्मद शाह सैयद के मकबरे के नज़दीक कई पेड़ों से आग-सी निकलती देखी। शीश गुम्बद के पीछे भी कोरल फूल के तीन पौधे आग की तरह तड़ककर खिल रहे थे। दोनों के खिलने का समय बहुत थोड़ा होता है, ज़्यादा-से-ज़्यादा एक हफ़्ता या दस दिन, इसलिए बूटा रिज का एक चक्कर लगाने का फैसला करते हैं, जहाँ इन पेड़ों की भरमार है।

सवेरे की मग भर के चाय पीकर वे रिज की तरफ चल पड़ते हैं। काफ़ी सुबह होने के कारण लोगों की आवाज़ाही अभी बहुत कम है, सिर्फ कुछ टहलनेवाले हैं, दूध वाले हैं जो साइकिल में दूध भरे बर्तन लटकाए चले जा रहे हैं, या अखबार वाले हैं जो उस रोज़ का अखबार घर-घर पहुँचा रहे हैं। रिज खाली है लेकिन उसके दोनों तरफ़ आग-जैसी लाल लहरें और फूल दिखाई दे रहे हैं। अब वे अपने को प्रकृति-प्रेमी बताकर अपने यार-दोस्तों को प्रभावित कर सकते हैं। वापस लौटते हुए वे संसद भवन के सामने संसद मार्ग के चक्कर से होकर यह देखने के लिए गुज़रते हैं कि जकरेण्डा फूल खिलने लगा है या नहीं। चक्कर पर उसके बहुत से पौधे हैं और जब वे पूरी तरह खिलते हैं, लेवेन्डर नीले रंग के हो जाते हैं। लेकिन अभी फूल नहीं निकले हैं। चूँकि सामान्यतः व्यस्त संसद मार्ग पर इस समय कोई आवाजाही नहीं है, इसलिए वे कनाट सरकस आ

जाते हैं, जहाँ सेंट्रल पार्क में गुलमोहर के बहुत से पेड़ लगे हैं। दुकानें बन्द हैं। सिर्फ कुछ घूमने वाले दिखाई दे रहे हैं। वे अपने घर के लिए यह सोचते हुए वापस मुड़ जाते हैं, कि प्रकृति के प्रति उन्होंने अपना कर्तव्य पूरा कर लिया। वे घर का दरवाज़ा खोलते हैं तो सामने एक ख़त पड़ा दिखाई देता है। वे उसका लेख देखकर पहचानने की कोशिश करते हैं लेकिन समझ नहीं पाते। उनका नाम जिस इज़्ज़त के साथ लिखा गया है, उसे देखकर वे खुश हो जाते हैं—"अत्यन्त सम्माननीय और प्रतिष्ठित सरदार बूटा सिंह जी, विश्वविख्यात लेखक, नई दिल्ली।"

उनके ओठों पर मुस्कान दौड़ जाती है। वह सोचते हैं कि काश, यह सही होता। फिर वे अपनी आराम कुर्सी में बैठ जाते हैं। बहादुर उनकी ट्रे लाता है जिसमें एक गिलास दूध है, ईसबगोल का डिब्बा और एक प्याले में चीनी है। वे दूध में ईसबगोल डालकर पीते हैं और लिफ़ाफ़ा खोलते हैं। उसमें लिखा है—"अत्यन्त आदरणीय सरदार साहब! आप मुझे नहीं जानते। मैं एक गर्ल्स कॉलेज में मामूली टीचर हूँ। लेकिन आप अपने साप्ताहिक कॉलम में जो लिखते हैं, उसका मैं एक-एक शब्द पढ़ती हूँ। फिर उसे सँभालकर रखती हूँ। आपका लेखन कितना खूबसूरत है, विचार कितने ताज़े और प्रेरक हैं। आपको तो साहित्य का नोबेल पुरस्कार मिलना चाहिए।"

बूटा यह पढ़कर बहुत खुश होते हैं। महिला अध्यापिका ने जो कुछ लिखा है, उससे वे सहमत हैं, लेकिन उन्हें आज तक बुकर या पुलित्ज़र पुरस्कार तक के लिए भी नामजद नहीं किया गया है, और न भारतीय ज्ञानपीठ या साहित्य अकादमी पुरस्कारों के लिए।

पढ़ना जारी रखते हैं—"मेरी ज़िन्दगी की इच्छा है कि आपके नज़दीक आऊँ और आपकी चेली बनकर रहूँ। इससे ज़्यादा मैं कुछ नहीं चाहती। अगर आप मुझे अपनी शिष्या बनाने को तैयार हों तो किसी बर्तन में गुलाब का एक फूल रखकर उसे खिड़की में इस तरह रख दें कि बाहर से दिखाई दे। अगर यह वहाँ हुआ तो मैं आपका दरवाज़ा खटखटाऊँगी।

अगर नहीं, तो भी मैं ईश्वर से प्रार्थना करूँगी कि आपको लम्बी ज़िन्दगी दे जिससे आप मनुष्य जाति के लिए कुछ-न-कुछ करते रह सकें।"

पत्र पर किसी के दस्तखत नहीं थे।

बूटा बड़ी देर तक इस बारे में सोचते रहे। क्या कोई उनकी टाँग खींच रहा है? उसने उनके मन की बातें कैसे जान लीं? जो हो, एक दफा देख लेने में कोई हर्ज नहीं है।

नाश्ते के बाद वे टहलते हुए खान मार्केट गए और फूलवाले की दुकान पर जाकर एक गुलाब की माँग की। वह बोला, "आज आप सबको यह हुआ क्या है? एक फूल कोई नहीं लेता, कम-से-कम छह तो लीजिए–यह मेरी बोहनी का भी मामला है।" बूटा छह फूल लेने को तैयार हो जाते हैं और तीस रुपये उसे देते हैं। घर लौटकर वे पाँच फूल एक बर्तन में रखकर खाने की मेज़ पर रख देते हैं और छठा फूल खिड़की पर टिका देते हैं।

दूसरे दिन कोई जवाब नहीं आता। तीसरे दिन बूटा और शर्मा दोनों को दरवाज़े पर एक पर्चा लगा मिलता है, जिस पर सिर्फ एक शब्द बड़ा-बड़ा लिखा है, 'चूतिया।'

तब बूटा को याद आता है कि जिस दिन पहला खत उन्हें मिला था, वह बुधवार था, तारीख 1 अप्रैल, मूर्ख दिवस।

शाम को बूटा और शर्मा बेग के आने से पहले 'बूढ़ा बिंच' पहुँच जाते हैं। बूटा शर्मा से पूछते हैं कि क्या उन्हें पहली अप्रैल को कोई प्रेम-पत्र मिला था। 'हाँ', शर्मा ने कहा। "मैंने कोई ध्यान नहीं दिया। हम बूढ़ों के लिए बहुत बचकाना मज़ाक है। तुमने क्या किया?"

"कुछ नहीं," बूटा ने कहा, "मैं भी समझ गया था।"

तभी बेग आ जाते हैं। वे उन्हें उस रहस्यमय पत्र के बारे में बताते हैं, तो बेग ठहाका मारकर हँसते हैं और कहते हैं, "ये कोई भारत के वायसराय थे, मेरा ख्याल है लार्ड कर्जन थे, जिन्होंने कहा था कि फूल तीन तरह के होते हैं–आर्डिनरी फूल, डैम फूल और ब्लडी फूल। अब

आप इनमें से चुन लें कि आप कौन से फूल हैं। चूँकि आप साल भर में सिर्फ एक दिन फूल बने, इसलिए आप डैम या ब्लडी फूल हैं। माफ कीजिएगा यह कहने के लिए।''

~

बूटा का बेटा अपनी सालाना यात्रा पर घर आया हुआ है, अपने बूढ़े बाप की देखभाल के लिए। और मेरी बहन भी घर पर नहीं है, इसलिए हम दोनों अपनी शामें बिताने घर पर ही बने रहते हैं। बूटा के लड़के को अपने पिता से बात करने का वक्त ही नहीं मिल रहा क्योंकि वह अपने यार-दोस्तों से ही खाली नहीं हो पाता। वह रात को दो बजे घर लौटता है और सवेरे दस बजे सोकर उठता है। कभी-कभी लंच में उनके साथ शामिल होता है और दो-चार शब्द बातचीत भी हो जाती है। एकाध दफा बूटा सोते-सोते भी यह जान लेते हैं कि आज बेटा ज़रा जल्दी आ गया है, क्योंकि टी.वी. की आवाज़ सुनाई देने लगती है।

ऐसी ही एक शाम की बात है, बेटा घर पर था और शराब की अलमारी से वोडका और नीबू पानी मिलाकर पी रहा था। टी.वी. पर कोई क्रिकेट मैच चल रहा था और लड़का गोंद की तरह उससे चिपका हुआ था। बूटा ने बड़े-से क्रिस्टल गिलास में सिंगिल माल्ट का बड़ा-सा पेग उड़ेला, उसमें सोडा और बर्फ के तीन टुकड़े डाले और आराम कुर्सी पर बैठकर धीरे-धीरे सिप करने लगा। उन्हें क्रिकेट भी दिखाई दे रही थी, जिसमें उनकी कोई रुचि नहीं थी और वे सुनने भी ऊँचा लगे थे, इसलिए उसकी कमेन्टरी की आवाज़ों से भी उन्हें कोई फर्क नहीं पड़ता था। वे आराम से स्कॉच पीते रहे, काजू और बिस्कुट चुंघते रहे और उनकी आँखें झपकने लगीं।

ठीक आठ बजे उन्होंने बहादुर को इशारा किया, 'खाना'। बेटे ने बहादुर से कहा, ''मेरे लिए बाद में।'' बूटा अकेले बंगाली ढंग से सरसों

के तेल में तली प्रॉन मछली और उसके ऊपर से चॉकलेट केक खाते रहे। हमेशा की तरह खाना खत्म करने के बाद उन्होंने अपने से सवाल किया, "क्या मैंने ज़्यादा खाया?" और खुद ही जवाब भी दिया, "मुझे इतना ज़्यादा केक नहीं खाना चाहिए था।" इसके बाद उन्हें नींद के झोंके आने लगे। काफी कोशिश करके वे अपनी आराम कुर्सी से उठे, और लड़के को 'गुडनाइट' कहे बिना बाथरूम जाकर कुल्ला किया, और बेडरूम में जा घुसे। हमेशा की तरह दस गोलियाँ निकालकर मुँह में रखीं, आँखों में दवा की बूँदें डालीं, कुछ चूरन-सा फाँका और गालिब की शायरी पढ़ने लगे—जिसे वे सौ दफ़ा पहले भी पढ़ चुके थे। फिर सिरहाने लगी बत्ती बुझा दी और आँखें बन्द कर लीं। उन्हें यह समझ में नहीं आया कि सो गए हैं या सिर्फ ऊँघने लगे हैं, लेकिन वे सपने ज़रूर देखने लगे।

अचानक उनकी आँख खुल गई। उन्होंने पाया कि वे खुले फ़र्श पर पड़े हैं, बिस्तर से नीचे गिर पड़े हैं। ठण्डा फर्श उन्हें जैसे चुभ रहा है। उनके सिर पर, कँधे, बाँह और एक घुटने पर चोट भी लग गई है। वे अपने हाथ-पैर टटोलते हैं कि कहीं कोई हड्डी तो नहीं टूट गई। हड्डियाँ हालांकि ठोस लगती हैं, लेकिन बुढ़ापे में भुरभुरी हो जाती हैं, और आसानी से टूट जाती हैं। इस उम्र में उन्हें जोड़ा भी नहीं जा सकता। और अगर यह चूतड़ की हड्डी हो तो सारी ज़िन्दगी व्हील चेयर में बैठकर बिताना पड़ता है, और धीरे-धीरे मौत की तरफ खिसकते रहना पड़ता है। यह जाँच-पड़ताल करके कि नहीं, हड्डी कोई नहीं टूटी है, वे चारपाई के बगल में धीरे-धीरे खिसकते हुए किसी ऐसी चीज़ को पकड़ने की कोशिश करते हैं, जिसके सहारे वे बैठ सकें या उठकर खड़े हो सकें। लेकिन कोई बात नहीं बनती, और वे मदद के लिए बेटे को आवाज़ लगाते हैं। उन्हें टी. वी. की आवाज़ सुनाई दे रही है। लड़का दौड़कर आता है लेकिन वह अकेले उन्हें उठा नहीं पाता। वह एक सुरक्षा गार्ड को मदद के लिए बुलाता है और दोनों मिलकर उन्हें उठाते हैं। वह उन्हें धन्यवाद देते हैं और कहते हैं, "अब मैं ठीक हूँ। बेड पर जा सकता हूँ। बजा क्या होगा?"

लड़का घड़ी पर नज़र डालता है, "साढ़े बारह बजे हैं। मैं डॉक्टर को बुलाऊँ।"

"नहीं," बूटा दोहराते है। "मैं ठीक हूँ। बिस्तर पर जा रहा हूँ।"

वे सोने की कोशिश करते हैं लेकिन नींद नहीं आती। वे आराम कुर्सी पर जाकर बैठ जाते हैं और आँखें बन्द कर लेते हैं। फिर सोचने लगते हैं। बच तो गए। अगर कोई हड्डी टूट जाती, या सिर टूट जाता, तो बहुत बुरा होता और उनका अंत ही आ जाता। क्या शरीर के साथ दिमाग़ भी खत्म हो जाता है? नहीं, तो फिर यह कहाँ जाता है? कहीं नहीं। उन्हें अपने दोस्तों के, विशेषतः उन औरतों के, चेहरे याद आने लगते हैं जिनके साथ उनकी घनिष्ठता रही थी। उनके दिमाग़ के पर्दे पर इनके चेहरे गुजरने लगते हैं, और वे पूछते हैं, "अब तुम कहाँ हो, सीलिया?...एलिनोर, तुम कहाँ हो?" एक-के-बाद एक। वे सब उन्हें देखकर मुस्कुराती हैं लेकिन जवाब कोई नहीं देती। शायद वे खुद भी नहीं जानती होंगी कि वे कहाँ हैं। अब तक कोई भी यह नहीं जान पाया कि मौत के बाद वह कहाँ जाता है। पुनर्जन्म की ये सब बातें, फैसले का दिन, स्वर्ग और नर्क, ये सब मनुष्य के दिमाग़ की उपज हैं। कल्पनाएँ कभी नहीं मरतीं, वे एक पीढ़ी से दूसरी में चलती चली जाती हैं। ये परम्पराएँ बन जाती हैं, अनन्त की तरह। घण्टे दो घण्टे अपने आप से बातें कर लेने के बाद उन्हें नींद आ गई और वे आराम कुर्सी में ही सो गए। सवेरे पाँच बजे जब बहादुर चाय लाया, तब उनकी आँख खुली।

सात बजे के करीब डॉ. मल्होत्रा, जिनका दवाखाना सड़क के उस पार खान मार्केट में ही है, उन्हें देखने आए। उनके लड़के ने उनसे पूछे बिना डॉक्टर साहब को बुला लिया। डॉक्टर साहब अपना बैग खोलकर स्टेथास्कोप, ब्लडप्रेशर नापने की मशीन और खून की जाँच करने के लिए सुई वगैरह निकालते हैं। बूटा विरोध करते हुए कहते हैं, "डॉक्टर साहब! मैं सिर्फ बिस्तर से गिरा था। मुझे ये सब टेस्ट नहीं चाहिए।" लेकिन डॉ. मल्होत्रा उनकी परवाह किए बिना उनके सीने और पीठ की जाँच

करते हैं, लम्बी-लम्बी साँस लेकर स्टेथास्कोप जगह-जगह घुमाते हुए भीतर की हालत का जायज़ा लेते हैं। फिर ब्लडप्रेशर लेकर कहते हैं, "130 बाई 80 ठीक है।" फिर उँगली में सुई चुभोकर खून निकालते हैं और कहते हैं, "250-ज़रा ज़्यादा है। ...हुआ क्या था?"

"कुछ भी नहीं," बूटा का जवाब आता है। "मैं आधी रात को बिस्तर से गिर पड़ा था।"

"अच्छा", डॉक्टर कहते हैं, फिर उनसे हाथ इधर-उधर हिलवाकर देखते हैं कि कोई हड्डी तो नहीं टूट गई। "हड्डियाँ सब सही हैं।"

फिर एक नज़र बूटा के पलंग पर डालकर नुस्खा बताते हैं–"पलंग सरकाकर किताबों की अलमारी से सटा दो जिससे गिरने की जगह न बचे। दूसरी तरफ भी दो कुर्सियाँ रख दो जिससे उधर भी बचे रहें। फिर अपने यन्त्र बैग में रखकर बेटे की तरफ मुड़ते हैं, "डेढ़ हज़ार रुपये। यह घर जाकर देखने की मेरी फीस है।"

बूटा का बेटा उनकी रकम अदा करता है और बाहर निकालकर दरवाज़ा बन्द कर देता है।

बूटा भुनभुनाते हैं, "यह सब बेकार ही था। कोई भी गधा तुम्हें यह बता सकता था कि चारपाई एक तरफ अलमारी से सटा दो और दूसरी तरफ कुर्सियाँ रख दो। पैसे की बर्बादी है यह!"

"मैं खर्च कर सकता हूँ," लड़का ज़ोर देकर कहता है। "इस उम्र में इस तरह का कोई खतरा मोल नहीं लेना चाहिए।"

~

3 अप्रैल, शुक्र के दिन–रामनवमी है, रामचन्द्र जी के जन्म का दिन। हम उनके जन्म का दिन तो जानते हैं लेकिन सन् का पता नहीं है। यह माना जाता है कि वे अयोध्या में पैदा हुए थे और राजा दशरथ तथा उनकी रानी कौशल्या के पुत्र थे। हिन्दू उन्हें ईश्वर का अवतार और उनकी

पत्नी सीता को देवी मानते हैं, जो त्याग और तपस्या में अद्भुत हैं। राम के छोटे भाई लक्ष्मण सेवक भाई के अनुपम उदाहरण हैं, और आधे मनुष्य तथा आधे वानर हनुमान उनके अपार शक्ति-सम्पन्न रक्षक माने जाते हैं। आज तक लोग एक-दूसरे से मिलने पर 'श्रीराम जी की जय', 'जय श्री राम' या सिर्फ 'राम-राम' कहते हैं। भाग्य पर छोड़ी गई हर बात को 'राम-भरोसे' कहा जाता है; जब मृत्यु हो जाने पर किसी को जलाने ले जाते हैं तो अर्थी वाहक, 'राम नाम सत्य है' कहते हैं, जिसके जवाब में दूसरे कहते हैं, ''सत बोलो गत है'', यानी सत्य बोलने से ही मुक्ति मिलती है।

पण्डित शर्मा और उनकी बहन दोनों राम भक्त हैं। बहन हर रोज़ सबसे पहला काम यह करती हैं कि माथे पर लाल तिलक लगाती हैं। रामनवमी के दिन दोनों बिड़ला मन्दिर पूजा करने जाते हैं। मन्दिर से लौटते हुए सुनीता मिठाई खरीदकर लाती हैं, जिसे वह उस दिन आने वालों को खिलाती हैं; दूसरे भी अपने साथ तरह-तरह की मिठाइयाँ लाते हैं। इस दिन शर्मा जी को कई जगह हिन्दू धर्म पर भाषण देने को बुलाया जाता है। वे बताते हैं कि हिन्दू धर्म दुनिया का सबसे पुराना धर्म है, और यही अकेला ऐसा धर्म है जिसकी किसी एक पैग़म्बर ने शुरुआत नहीं की, बल्कि जो परम सत्य की खोज में अपने आप उत्पन्न हुआ और बढ़ा है। वह लोगों को बताते हैं कि संस्कृत दुनिया की सब भाषाओं की माँ है। वे बताते हैं कि हिन्दू धर्म दुनिया का सबसे सहिष्णु धर्म है, क्योंकि यह 'जियो और जीने दो' के नियम में विश्वास रखता है। और भी इस तरह की बहुत सी बातें बताते हैं। लोग उनकी बातों से बड़े प्रभावित होते हैं। जब उनका भाषण समाप्त होता है, तब बहुत से लोग आकर उनके पैर छूते हैं।

रामनवमी के दिनों में सनसेट क्लब में शर्मा का आना-जाना ज़रा कम हो जाता है, और बाकी दोनों ही 'बूढ़ा बिंच' पर बैठे दिखाई देते हैं। मज़े की बात यह है कि हालाँकि वे शर्मा को चाहते हैं और उनकी

इज़्ज़त करते हैं, वे उनकी अनुपस्थिति में ज़्यादा अच्छा महसूस करते हैं। तब बूटा की भाषा ज़्यादा ज़ायकेदार हो जाती है और बेग विदेशों में स्त्रियों के साथ हुए उनके अनुभवों को सुनाने की ज़्यादा माँग करते हैं। बूटा भी खुल जाते हैं और मज़े ले-लेकर अपने किस्से सुनाते हैं। बेग की ही फरमाइश पर बूटा ने एक दिन उन्हें लन्दन एक अंग्रेज़ लेडी प्रोफेसर के साथ हुए अपने प्रेम-प्रसंग की कहानी सुनाई।

"यह तो मुझे अब याद नहीं कि किसने एक युवा लेडी लेक्चरर की किसी सामाजिक विषय पर लिखी थीसिस की प्रकाशन पार्टी में मुझे भी शामिल होने को बुला लिया। उसने खुली पार्टी दी थी जिसमें मेहमान अपने दोस्तों को भी ला सकते थे। इसमें करीब पचास स्त्री-पुरुष थे, ज़्यादातर शिक्षा से जुड़े हुए लोग। सबको रेड वाइन और पनीर दिया गया। मैंने अपना गिलास भर लिया और एक कोने में बैठकर लोगों को देखने लगा। हमारी मेज़बान, बेटी कुछ...कुछ उसका नाम था, उम्र में पच्चीस के करीब थी, लेकिन बिल्कुल एक लड़के की तरह लग रही थी। उसके बाल एकदम कटे हुए थे और कानों तक भी नहीं पहुँचते थे। चश्मा लगाए थी। सामने के दाँत बाहर निकले हुए थे। लगातार सिगरेट पी रही थी। भूरा स्वेटर पहने थी जो पीठ और कँधों को ढके था। हरेक से दौड़-दौड़कर बातें कर रही थी। मेरे पास आकर बैठ गई और पूछने लगी, "आप कौन हैं?" मैंने बताया कि मैं कौन हूँ और क्या करता हूँ। लेकिन इसमें उसकी रुचि नहीं दिखाई दी। उसने पूछा, "आप योग करते हैं?" मैंने कहा, "मुझे यह बहुत बोरिंग लगता है।" उसने कहा, "आप बिल्कुल गलत हैं। यह दुनिया का सबसे अच्छा स्वास्थ्य-प्रोग्राम है। आधा घण्टा सवेरे और आधा घण्टा शाम को तरह-तरह के आसन करने से शरीर और मन एकदम स्वस्थ रहता है और आपको लगता है कि आप दुनिया में सबसे ऊपर हैं। आप भी कीजिए और फिर फर्क़ देखिए। कुछ आसन मैं मुफ़्त में सिखा दूँगी। बस, आप डिनर करा देना।"

"मैंने उसे अपना कार्ड दे दिया। उसने उसे देखकर कहा, "ठीक

है। मैं पास ही रहती हूँ। किंग्स रोड के उस सिरे पर। लेकिन मेरे पास कार्ड नहीं है। किंग्स रोड पर बहुत से शराबघर और खाने की जगह हैं। मैं आपके कार्ड पर अपना फोन नं. लिख देती हूँ। मैं ज़्यादातर शाम को पाँच बजे कॉलेज से वापस आ जाती हूँ। जब भी फ्री हों, फोन कर लें।''

''मैं इसमें ज़्यादा उत्सुकता दिखाना नहीं चाहता था, इसलिए अगले दो दिन फोन नहीं किया। लेकिन मैं उसके बारे में बराबर सोचता रहा और मेरे मन में उसे जानने की इच्छा ज़ोर पकड़ती गई। तीसरे दिन मैंने उसे फोन किया और बेसमेण्ट के अपने फ्लैट पर निमन्त्रित किया। उसने फौरन स्वीकार कर लिया और कहा, ''मैं आपको योग का पहला पाठ सिखाऊँगी। आप मुझे डिनर खिला देना।'' मैं फौरन बाहर गया, बोरडो की दो बोतलें खरीदकर लाया, कमरा साफ़ किया और उसका इन्तज़ार करने लगा।

''वादे के अनुसार वह ठीक साढ़े छह बजे आ गई। हल्का भूरा ब्लाउज़ और काली लम्बी स्कर्ट पहने थी। उसने मेरे गाल का चुम्मा लिया और कमरे पर नज़र दौड़ाकर बोली, ''बुरा नहीं है।'' फिर कहा, ''तो तुम भी अकेले रहते हो?''

''हाँ, मुझे अकेले रहना अच्छा लगता है। सवेरे अपनी कॉफ़ी और टोस्ट खुद बनाता हूँ। लंच के लिए टोमेटो सूप का डिब्बा खोलता हूँ। शानदार डिनर करता हूँ। फिर साढ़े नौ तक घर लौट आता हूँ। अच्छा... आपको बढ़िया वाइन दूँ?''

''अभी नहीं,'' उसने कहा। ''पहले कुछ योग की शिक्षा हो जाए?''

''ठीक है। शुरू कीजिए।''

''हम नीचे दरी पर बैठ गए और गहरी साँस लेकर पद्मासन किया। फिर उसने गर्दन टेढ़ी करके और छत की तरफ देखते हुए, धनुरासन किया। मैंने देखा कि उसकी छातियाँ बहुत छोटी थीं और कुच ब्लाउज से बाहर निकले पड़ रहे थे। ''समझ में आया?'' उसने पूछा।

''मैं पद्मासन में अपने घुटने नहीं मोड़ पाता। और मेरा ख्याल है

कि इसका कोई फायदा भी नहीं है। फिर मैंने अपने सिर पर खड़े होने की कोशिश भी की—जैसा प्रधानमन्त्री नेहरू रोज़ करते हैं—लेकिन मेरी गर्दन टूटते-टूटते बची।" मैंने जवाब दिया।

"यह आसान है और फायदेमंद भी बहुत है," उसने कहा "मैं तुम्हें करके दिखाती हूँ।" उसने जमीन पर दोनों हाथ रखकर उन पर सिर ऊपर उठाया और धीरे-धीरे पैर ऊपर पहुँचा दिए। उसकी स्कर्ट उलटकर चेहरे पर आ गई और कमर से नीचे तक पैर नंगे हो गए। पैन्टीज़ के नीचे वह सेनिटरी टावेल लगाये थी। "मेरे पीरियड चल रहे हैं," उसने उसी तरह उल्टे खड़े-खड़े बताया। "दो दिन और लगेंगे। खून का खेल है।"

"फिर उसने कमर झुकाई, कई दफ़ा लम्बी साँसें लीं और बोली, "अब मैं वाइन ले सकती हूँ।" फिर उसने एक सिगरेट निकाली और बोली, "शुरू करने से पहले मैं एक और सिगरेट पी सकती हूँ। कुछ लोग सिगरेट नहीं पीते लेकिन शराब मछली की तरह पीते हैं।" हम बैठकर वाइन पीते रहे। मैंने उससे पूछा कि वह कहाँ पढ़ाती है। उसने मुझसे पूछा कि मैं रोजी-रोटी के लिए क्या करता हूँ। एक घण्टा बीत गया। बोरडो की बोतल खत्म हो गई थी।

"हम डिनर के लिए कहाँ जाएँगे?" मैंने पूछा।

"बगल में ही है। 'दि वर्ल्ड'स एण्ड'—नीचे पब है और पहली मंज़िल पर रेस्तराँ है।"

"हम रेस्तराँ के लिए चले तो उसने मेरी बाँह पकड़ ली। बार में भीड़ थी। बार मैन उसे जानते थे और उससे दुआ-सलाम की। हम सीढ़ियाँ चढ़कर रेस्तराँ में गए और खिड़की की बगल में एक मेज़ पर जा बैठे। वेट्रेस मीनू लेकर आई। वह भी बेटी को जानती थी। "मैडम, आज शाम क्या लेंगी?" बेटी ने मीनू पर एक सरसरी नज़र डाली और कहा, "जो तुम्हें ठीक लगे, ले आओ। हाँ, पहले बोरडो की बोतल ज़रूर लाना।"

"फिर उसने सिगरेट सुलगाई, नाक से धुआँ छोड़ा और कुर्सी पर

अधलेटी हो गई। ''मुझे अच्छा लग रहा है।'' उसने कहा। फिर वेट्रेस ने बोतल खोली, मेरे गिलास में चखकर देखने के लिए ज़रा सी डाली। मैंने मुँह में एक सिप ली, चारों तरफ उसे घुमाया और आँखें खोलकर कहा, ''बढ़िया है।'' उसने हमारे गिलास भर दिए और बोतल मेज़ पर छोड़कर चली गई।

''मुझे भी अच्छा लग रहा है,'' मैंने कहा, ''तुम अच्छी कम्पनी हो।''

''धन्यवाद, हमें मिलते रहना चाहिए।'' उसने कहा।

''लेकिन तुम तो व्यस्त रहती हो। जब भी तुम्हारे पास समय होगा, मैं आ जाया करूँगा।''

''उसने जेब से अपनी डायरी निकाली और देखा कि मेरा नम्बर है या नहीं। ''ठीक है तो गेंद अब मेरे पाले में है,'' वह बोली।

''वेट्रेस हमारा डिनर लें आई–स्टीक, आलू और लहसुन की ब्रेड। मज़े से खाइये,'' उसने कहा और रखकर चली गई। मैं भूखा था और वाइन ने मेरी भूख और तेज़ कर दी थी।''

बेग ने बीच में पूछा, ''तुम्हारा मतलब है कि तुमने गाय का गोश्त खाया? क्या सिखों में इसकी मुमानियत नहीं है?''

''है क्यों नहीं?'' बूटा ने जवाब दिया। ''लेकिन जो मना होता है, उसे करना मुझे अच्छा लगता है। मैं शर्त बदता हूँ कि तुमने हैम, पोर्क या बेकन नहीं खाया होगा। बहुत स्वादिष्ट होता है। हिम्मत हो तो एक दफा खाकर देखो, तो पता लगेगा।''

''तौबा, तौबा।'' बेग ने अपने कानों को हाथ लगाकर कहा, ''मुसलमानों के लिए ये हराम है। खैर, बेटी की कहानी जारी रखो। डिनर के बाद क्या हुआ?''

''कोई खास नहीं। सिर्फ यह कि जब हम अलग हुए तो उसने मेरे ओठों को चूमा और फ्रेंच में कहा, ''आ बिएन्तो।'' जिसका मतलब है फिर जल्दी मिलेंगे। यह बताते अजीब लगता है, लेकिन तीन दिन मैं उसके फोन का इन्तज़ार करता रहा। तीन दिन बाद उसने फोन किया

और पूछा, ''आज फ्री हो? मैं अपने साथ पैक्ड डिनर लाऊँगी मेक्सिकन–तो बाहर नहीं जाना पड़ेगा। तुम कुछ वाइन ले आना। ठीक है?'' मैंने कहा, ''ठीक है।'' मैंने दो बोतल इटालियन वाइन ली एक शियांती और एक बारोलो। और उसका इंतज़ार करने लगा।

''वह साढ़े छह बजे आ गई। साथ में खाने का एक बड़ा-सा डिब्बा था, और पीठ पर एक थैला। मैंने उसके ओठों पर एक लम्बा चुम्बन लेकर उसका स्वागत किया। उसने अपना सामान ज़मीन पर रखा और खाने की चीज़ें किचेन में रखवा दीं।

''फिर उसने अपने आसन शुरू किये और पहले की तरह अपनी स्कर्ट मुँह पर लटका दी। इस बार नीचे अण्डर वियर नहीं था। अपने पैरों के अँगूठे से पेट पर होते हुए छातियों तक वह मेरे सामने एकदम खुली थी। मुझे उसका संदेश मिल गया था। वह अपने पैरों पर आ गई और मेरी बगल में बैठ गई। फिर बिना कुछ कहे अपने सारे कपड़े उतार दिए। फिर सोफ़े पर ही हमने संभोग किया। जब काम खत्म हो गया, तब भी उसने अपने कपड़े नहीं पहने, और नंगी बैठी सिगरेट और शराब पीती रही। ''तुम खाना गरम करो, तब तक मैं नहा लेती हूँ।'' कपड़े सोफ़े पर ही छोड़कर वह बाथरूम में घुस गई। नहाकर आई तो उसी तरह सामने बैठ गई और सिगरेट और शराब पीती रही।

''डिनर खाने से पहले हमने एक दफ़ा और संभोग किया। फिर हमने मैक्सिकन डिनर खाया। लेकिन वह नंगी ही बनी रही। हमने शराब की दूसरी बोतल भी खत्म कर दी। हम कुछ थक भी गए थे और नशा भी चढ़ने लगा था। वह सोफ़े पर देर तक मेरे साथ लेटी रही और हमें नींद आने लगी। मेज़ की सफ़ाई किए बिना मैं उसे बेडरूम में ले गया और उसी की तरह मैंने भी अपने सब कपड़े उतार दिए। वह नंगी मेरी बाँहों में सोती रही। सवेरे हमने फिर संभोग किया। मैंने नाश्ते के लिए कॉफ़ी और बटर टोस्ट दिए। इसके बाद वह कॉलेज चली गई और शाम को आने का वादा कर गई।

"फिर यह नियम बन गया। मुझे भारत लौटने के लिए एक महीना रह गया था। वह पूरे महीने मेरे साथ रही। हम रोज़ वाइन पीते और संभोग करते थे। उसे नंगे रहना अच्छा लगता था। वह कहती थी कि कपड़े बाहर जाने के लिए होते हैं, घर पर नंगे ही रहते हैं। उसकी लड़के जैसी नंगी शक्ल मेरा आज तक पीछा करती है।

"बेग, कल्पना करो कि एक धुर नंगी लड़की रात-दिन तुम्हारे साथ रहती है। और दिन में दो दफ़ा तुम्हारे नीचे सीधी लेटती है। सुनो, बेग, न किसी के लम्बे, काले, घुँघराले बाल पुरुष वासना को इतना जगाते हैं, न उसकी मदभरी बादाम-जैसी आँखें, न लाल-लाल ओंठ, उसके आकर्षण का मुख्य केन्द्र होते हैं, जितने उसके गोलाई लिए नितंब।" इसके बाद बूटा अपने दोनों हाथों को आपस में मिलाकर उसकी शक्लें बनाकर दिखाता है।

"बाद में उसके साथ सम्पर्क रहा?" बेग ने पूछा।

"कुछ दिन रहा। फिर उसने किसी प्रोफेसर से शादी कर ली और उसके दो बच्चे हुए। फिर वह शादी टूट गई। फिर किसी दोस्त से पता चला कि उसने पढ़ाना और किताबें लिखना छोड़ दिया है और पूरे वक्त की योग टीचर हो गई। मैंने सुना था कि पूना के किसी आश्रम में वह योग का कोई आगे का कोर्स करने के लिए भी आई थी। लेकिन उसने मुझसे मिलने की कोशिश नहीं की। यह था बेटी की कहानी का अन्त।"

"कहानी अच्छी है," बेग ने कहा, "मैं सकीना बेगम को सुनाऊँगा, जब नौकर आस-पास नहीं होंगे उसे भी अच्छी लगेगी।"

"उनकी तो राय मेरे बारे में बहुत खराब ही होगी," बूटा ने कहा।

"बिलकुल नहीं। लेकिन वह तुम्हें रंगीला सरदार कहती हैं।"

~

पूर्व के देशों में जूतों को नफ़रत का प्रतीक माना जाता है, आदमी इसे सबसे नीचे पहनता है और यह हमेशा गर्द और गंदगी का शिकार होता है। पूजा स्थान में प्रवेश करने से पहले इन्हें बाहर उतार दिया जाता है, और भारतीय महाद्वीप में लोग अपने संबंधियों के घरों में प्रवेश करने से पहले भी जूते बाहर उतार देते हैं। इसलिए यह नतीजा निकालना स्वाभाविक है कि जब किसी की आपस में लड़ाई हो जाए तो वे तुरन्त जूते उतार कर दूसरे की पिटाई करना शुरू कर दें। यह अपमान का चरम स्वरूप है। यदि दुश्मन आस-पास नहीं है अथवा अच्छी तरह सुरक्षित है, तो जूता फेंककर भी परिणाम प्राप्त किया जा सकता है। ऐसा ही परिणाम इराकी पत्रकार ने प्राप्त किया जब उसने अमरीकी राष्ट्रपति बुश पर एक प्रेस कॉन्फ्रेंस में उन पर जूता फेंका। वह पत्रकार अमरीका द्वारा इराक पर हमला करने के खिलाफ अपनी प्रतिक्रिया व्यक्त कर रहा था। इराक पर हमला करने का कारण अमरीका ने यह बताया था कि इराक बड़ी मात्रा में सार्वजनिक विनाश के हथियार जमा कर रहा था लेकिन अमेरिकी सरकार ने बाद में यह स्वीकार भी किया कि इराक़ ऐसा कोई काम नहीं कर रहा था।

विरोध जताने के लिए जूता फेंकना काफ़ी महँगा भी पड़ सकता है। जूता फेंकने वाला अपना जो जूता फेंकता है, वह उसे वापस नहीं प्राप्त होता, उसे कचहरी में चलने वाले मुक़दमे में गवाही के तौर पर पेश किए जाने के लिए सँभालकर रख लिया जाता है। पैरों में पहनने के लिए उसे नई जोड़ी जूते खरीदने पड़ते हैं और बचा हुआ एक जूता वह अपनी कारगुजारी की यादगार के रूप में ज़रूर रख सकता है।

7 अप्रैल 2009 को दिल्ली में भी इसी प्रकार की एक घटना घटी। एक प्रेस कान्फ्रेंस में, जिसे गृहमन्त्री पी. चिदम्बरम् संबोधित कर रहे थे, लम्बी दाढ़ी वाले जरनैल सिंह नामक एक पत्रकार ने जो 'दैनिक जागरण' का संवाददाता था, मन्त्री पर अपना जूता फेंका। पत्रकार का निशाना सही नहीं था। जूता कहीं और गिरा और उसे गिरफ्तार कर लिया गया।

फिर नौकरी से निकाल दिया गया। मन्त्री ने उदारतापूर्वक उसे क्षमा कर दिया, कहा कि वे जूते फेंकने वाले के समाज की भावनाओं को समझते हैं। जरनैल सिंह बात की बात में सिखों का हीरो बन गया है। और मजे की बात यह है कि वह अपने लक्ष्य, (मन्त्री जी को जूता फेंकने) से भले ही चूक गया हो, वह वाहवाही प्राप्त करने के अपने वास्तविक उद्योग में एकदम सफल हो गया। राजधानी और देश के लोगों में वह चर्चा का विषय बन गया, और सनसेट क्लब में तो वह चर्चा का मुख्य विषय ही बन गया।

~

दिल्ली में अप्रैल का महीना न इधर का होता है, न उधर का। आप फैसला नहीं कर पाते, कि सर्दी और वसंत खत्म हो गया और गर्मी शुरू हो गई। कोई दिन दिसम्बर के किसी दिन की तरह सर्द हो सकता है और कोई जून की तरह गर्म। यही नहीं, किसी दिन बारिश हो सकती है और ओले भी गिर सकते हैं; और किसी दिन गरम रेगिस्तानी हवाएँ चल सकती हैं और तूफान आ सकता है। मौसम मनुष्य के साथ ही खेल नहीं खेलता, बल्कि प्रकृति के साथ भी खेलता है। रुई के पौधे खुल-खिलकर सारी जमीन को सफेद रुओं से भर देते हैं। पलाश अपने रंगों को थोड़े दिन बिखेरकर सूखी, नंगा टहनियों में बदल जाता है। कोरल का भी यही हाल होता है। लेकिन जकरेण्डा अपने पूरे शबाब पर होता है और महीने के आखिर में सड़कों के किनारे तथा चौराहों को अपने पीले-गुलाबी गुलमोहर तथा कृष्ण सिरिस के फूलों से सराबोर कर देता है।

~

बेग इन्तज़ार कर रहे थे कि उन्हें अपनी जूता फेंकने वालों की कहानी अपने दोस्तों को बताने का अवसर मिले। वह जानते थे कि इससे शर्मा और बूटा दोनों चिढ़ जाएँगे क्योंकि यह हिन्दू और सिख दोनों के बीच झगड़े का मामला है। और मुसलमान होने के कारण उन्हें चुप रहकर तमाशा देखना पड़ेगा। और ऐसा ही हुआ।

''भाइयो, आप मुझे यह बताएँ कि उस सरदार लड़के को क्या हुआ जो उसने इतने साल पहले हुए सिखों के नरसंहार से दुःखी होकर मिनिस्टर पर जूता फेंका।''

शर्मा ने इस पर चतुराई से प्रतिक्रिया की। ''सरदार लोगों के लिए मशहूर है कि उनका दिमाग धीमे काम करता है, इसलिए उन्हें किसी घटना की प्रतिक्रिया करने में वक्त लगता है। साथ ही, उनका दिमाग़ गर्म होने के लिए भी मशहूर है और जब वह एक दफा किसी वजह से गर्म हो जाता है तो वे, जो कुछ उनके सामने पड़ता है, उस पर हमला करना शुरू कर देते हैं। इसलिए जब मैंने यह खबर पढ़ी, मुझे कोई ताज्जुब नहीं हुआ। मैंने मान लिया कि जो भी हो, वह है तो सरदार ही।''

बूटा ने तय किया कि उसे जवाब दिया जाना चाहिए। ''अरे पण्डितजी, तुमने यह नहीं देखा कि वह अपना निशाना चूक गया, फिर भी जो वह हासिल करना चाहता था, उसने हासिल कर लिया। कांग्रेस पार्टी ने लोक सभा के चुनाव में वे लोग खड़े किए थे जिन्होंने सिखों की हत्या में हिस्सा लिया था। उसके इस काम से देशवासियों की चेतना जाग्रत हुई। सब जगह विरोध समाएँ हुईं और कांग्रेस को इन उम्मीदवारों को हटाना पड़ा। यह बात तुम्हें कम दिमाग़ की लगती है?''

शर्मा और बूटा के झगड़े में इस बात से शान्ति छा जाती है और दोनों ठंडे होना शुरू कर देते हैं। लेकिन बेग का मन अभी नहीं भरा है, इसलिए वह फिर कुरेदता है, ''बूटा जी, आप हिन्दुओं के खिलाफ़ यह गुस्सा और कितने दिन पाले रहेंगे? अब इसे थूक क्यों नहीं देते?''

''जब तक अपराधियों को सज़ा न मिल जाए, तब तक?'' बूटा

ने कहा, "आपको पता है कि सिखों के खिलाफ जिन हज़ारों लोगों ने हमले किए, उनमें से सिर्फ बीस को सज़ा दी गई है। हमें इस अन्याय का विरोध करने का पूरा अधिकार है। और हिन्दू दुनिया भर को यह बताते फिरते हैं कि वे बड़े शान्तिप्रिय लोग हैं। तुम मुसलमान हो, तुम्हें पता होना चाहिए। आज़ादी के बाद से उन्होंने कितने मुसलमान मारे हैं? बताओ।"

"कई हज़ार," बेग ने स्वीकार किया। "अब हमें इसकी आदत पड़ गई है। बाबरी मस्जिद तोड़े जाने के बाद कुछ हज़ार। फिर गोधरा रेलवे स्टेशन पर एक डिब्बे में आग लग जाने के बाद कुछ हज़ार। मैंने कहा न, कि अब हमें आदत पड़ गई है।"

शर्मा को लगा कि दोनों उसके खिलाफ मिलकर मोर्चा खोल रहे हैं तो उन्होंने एक ज़बरदस्त रद्दा जमाने की सोची, "अच्छा बूटा जी, आप यह बताइए कि जब भिंडरावाले ने कहा कि हरेक सिख को चौंतीस हिन्दू मार डालने चाहिए और उसके गुण्डे बसों से खींच-खींचकर हिन्दुओं को मारने लगे, तब आपने कितना विरोध किया था? क्या किसी नेता ने भी उसके खिलाफ़ एक भी शब्द कहा? नहीं, क्योंकि वे भी उससे सख्त डरते थे क्योंकि वह उन्हें भी खत्म कर देने को तैयार रहता था। और अब वह मर चुका है, इसलिए तुम उसे संत और शहीद मानते हो।" इसके बाद वह बेग का रुख करते हैं, "तुम मुसलमानों ने पाकिस्तान की माँग की और उसे बना लिया। लेकिन अब तुम पाकिस्तान से ज़्यादा हिन्दुस्तान में रहते हो। अगर हम यहाँ मुसलमानों के साथ वह करें जो उन्होंने हिन्दू और सिखों के साथ किया, तो तुम सब देश से बाहर कर दिए जाओगे। देश में हमारी जनसंख्या अस्सी फीसदी से ज़्यादा है लेकिन हमारे यहाँ सिख प्रधानमन्त्री है, सिख प्लानिंग कमीशन का प्रमुख है, सिख और मुसलमान मन्त्री होते हैं और सिख और मुसलमान राज्यों के मुख्यमंत्री और गवर्नर होते हैं? और इस सबके बदले हमें कृतघ्नता मिलती है। मैं पूछता हूँ, क्या यह सही है?"

शर्मा जानते हैं कि इस बहस में उसका पलड़ा भारी है। यही उम्मीद भी थी, क्योंकि वह ब्राह्मण है और ब्राह्मण दुनिया की सबसे ज़्यादा बुद्धिमान कौम मानी जाती है। जैसा वह अक्सर अपने भाषणों में बताते हैं, भारत की जाति व्यवस्था की तुलना मनुष्य के शरीर से की जा सकती है। सिर ब्राह्मण है, हाथ और धड़ क्षत्रिय हैं–जैसे मराठा, राजपूत, सिख इत्यादि जातियां। पेट और जाँघ वैश्य हैं–जैसे बनिये और मारवाड़ी जो देश की अर्थव्यवस्था को देखते हैं। शूद्र टाँगें और पैर हैं जिन पर शरीर खड़ा होता है। ये निचले दर्जे के काम करते हैं, जैसे सफाई करने वाले, चमार, लाशें उठाने वाले वगैरह। यह बँटवारा ज़िन्दगी में किए जाने वाले कामों पर आधारित है, इसलिए इसे घटिया और बेकार कहकर नकारा नहीं जा सकता।

लेकिन अपने मित्रों पर अपनी श्रेष्ठता का सिक्का जमा लेने के बाद शर्मा महसूस करते हैं कि उन्हें इनकी चोटों पर मरहम भी लगानी चाहिए, क्योंकि ये उनके मित्र हैं। वे कहते हैं–"चलो जी, बीती ताहि बिसारि दे। आज इन सब बातों का कोई महत्त्व नहीं है। आज महत्त्व है सच बोलने का, नतीजा कुछ भी क्यों न हो?"

5
अमलतास के फूल

दिल्ली में मई की गर्मी शिद्दत से भरी हो सकती है। जो लोग पँखे, कूलर और एयर-कंडीशनर्स खरीद सकते हैं, वे घरों के भीतर आराम से रहते हैं, जो नहीं खरीद सकते बाहर पेड़ों की छाँव का सहारा ढूँढ़ते हैं। कुछ लोग सूरज की धूप और गर्मी को सहन न कर पाने के कारण मर जाते हैं। कुछ लोगों के शरीर पर गर्मी के कारण दाने निकल आते हैं, और वे उन्हें बरदाश्त करने को विवश होते हैं।

हालांकि सख्त गर्मी और धूल के झोंके बाहर की जिन्दगी को मुश्किल कर देते हैं। इसमें भी आराम के क्षण प्राप्त होते हैं। कभी-कभी अचानक आसमान में अचानक बादल उमड़ने लगते हैं और बौछार पड़ने लगती है। इस साल दो दफा ऐसी झड़ी लगी, पहली 2 मई को, दूसरी उसके कुछ दिन बाद। 10 मई को जबरदस्त तूफान आया जो सब कुछ हिला गया और बरगद, नीम और जामुन के दरख्तों को गिरा गया। फिर बरसात आई। तूफ़ानी हवाओं ने पानी की बूँदों को कई दफ़ा आसमान में ऊँचा उड़ाया, जिससे वह बर्फ बन गई। फिर वे इन्द्र देवता द्वारा फेंके गए पत्थरों की तरह बाहर सड़कों पर, मैदानों में और इधर-उधर खड़ी गाड़ियों पर

बरसी। कुछ क्षणों तक ऐसा लगा मानो सारे शहर पर बर्फबारी हुई है। मौसम का तापमान गिर गया था और लोग सड़कों पर निकलकर दौड़ने-भागने लगे। दूसरे दिन यह पुरानी याद बन गया क्योंकि सूरज फिर तेज़ गर्मी से शहर को झुलसाने लगा। लेकिन इस विचार से आशा बँधी कि दक्षिण-पश्चिम मानसून अण्डमान द्वीपों तक पहुँच चुका है। एक हफ्ते बाद मानसून केरल पहुँच गया। महीने के आखिरी दिन दिल्ली में मानसून के पहले की शुरुआती बारिश हुई।

दिल्ली में मई का महीना जिस कारण मशहूर है, वह यह है कि इन दिनों यहाँ अमलतास के पीले फूल खिलते हैं। सड़कों के किनारे इनके पेड़ लगे होते हैं। लोग इन पर ज़्यादा ध्यान नहीं देते क्योंकि साल के ज़्यादातर दिन इनके मध्यम आकार के पेड़ काले रंग के दानों से भरे लम्बे फलों को लटकाए चुपचाप खड़े रहते हैं। फिर अचानक इनमें से चटक पीले रंग के फूलों के गुच्छे बेतहाशा झरने लगते हैं। आपका मुँह प्रकृति के इस चमत्कार पर आश्चर्य से खुला रह जाता है। अपार सौन्दर्य लेकिन खुशबू बिल्कुल भी नहीं, जैसे सोना बिखरने लगा हो। और यह नज़ारा हफ्ते-दस दिन से ज़्यादा का नहीं होता। इसके बाद ये फिर अपनी पुरानी हालत में पहुँच जाते हैं। मानसून के आरम्भ में इनमें एक बार फिर बहार आती है, लेकिन वह मामूली होती है।

~

बूटा अपनी खिड़की से बाहर झाँक रहे हैं कि कोई लड़के, लड़कियाँ या उनके पालतू कुत्ते सामने के मैदान में खेलते दिखाई दें। लेकिन अभी काफी जल्दी है और उनके बाहर निकलने के लिए सूरज बहुत गर्म है। उन्हें अमलतास के खिलते फूलों की क़तार दिखाई देती है। उन्हें यह पिछले साल क्यों नहीं दिखाई दिया? वे अच्छी तरह देखने के लिए फ्लैट से बाहर निकलते हैं। अपनी स्वर्णिम छटाओं से ये निश्चय ही ईश्वर की

महिमा व्यक्त कर रहे हैं। उन्हें अपने दोस्तों को इसके बारे में बताना चाहिए। दुर्भाग्य से हमारे देश के लोग पेड़ों, पक्षियों और पशुओं में ज्यादा रुचि नहीं लेते उनकी रुचि राजनीति, पैसा, स्कैंडल और धर्म से आगे नहीं बढ़ती। उस दिन शाम को भी, जब सनसेट क्लब के लोग मिले, यही बात सामने आई।

जैसे ही सब लोग 'बूढ़ा बिंच' पर बैठ जाते हैं, बूटा उनसे सवाल करते हैं, "आपने कभी अमलतास खिलते हुए देखे हैं?"

"अमलतास? यह क्या होता है?" शर्मा ने सवाल किया।

"ये पीले रंग के फूल जो सड़कों के किनारे खिले हुए हैं।"

"तुम्हारा मतलब अमलतास है? हाँ, मैंने उसके फूल देखे हैं।"

बेग का जवाब भी ऐसा ही है। "रोज़ यहाँ आते हुए दिखाई देते हैं। लेकिन खुशबू बिल्कुल नहीं होती। खुशबू के बिना फूल ही क्या। जैसे कोई खूबसूरत लेकिन चरित्रहीन औरत। मेरे यहाँ मोतिया है–जैस्मीन। मेरी बेगम उन्हें हर सवेरे इकट्ठा करती है और चाँदी के पानी भरे बर्तन में रखती है। सारा कमरा जैस्मीन की खुशबू से महक उठता है। मेरा ख्याल है कि अमलतास के लिए तुम्हारे प्यार का एक खास कारण है–यह बहुत दस्तावर है। और तुम्हें रोज़ पेट साफ़ करने के लिए कुछ चाहिए।"

शर्मा इसमें कुछ जोड़ते हैं–"तुम दोनों पार्क में गलत दरवाज़े से आते हो। उस पुराने पत्थर के पुल से आओ तो मौलसिरी की खुशबू से नाक भर जाएगी। हालाँकि ज़रा-सा फूल दिखाई भी नहीं देता। इस वक्त उनका मौसम है।"

कुछ मिनट की शान्ति के बाद बूटा बेग की तरफ़ मुड़कर पूछते हैं, "पिछली दफ़ा चन्द्रमा कब देखा था?"

"अजीब सवाल है। क्यों पूछ रहे हो?"

"क्योंकि मैंने सालों से न चन्द्रमा देखा है, न सितारे। एक समय था जब हम सब अपनी छतों पर या खुले मैदानों में मसहरी लगाकर सोते थे, सिर के पीछे पँखा चलता रहता था, मिट्टी की सुराही में पीने के लिए

पानी होता था और उसका मुँह स्टील के बर्तन से ढँका होता था। तब हमें चन्द्रमा हर तरह से दिखाई देता था, पतली-सी फाँक से पूर्णमासी के पूरे गोल चाँद तक, फिर अमावस्या की अँधेरी रात तक। तब हमें शुक्र का तारा और ध्रुव तारा और उससे लगे सप्तर्षि भी दिखाई देते थे। और घड़ी देखे बिना लोग समय बता देते थे। लेकिन अब ये सब चीज़ें पुरानी बातें हो गई हैं।"

"बूटा जी, आप ठीक कह रहे हैं," बेग ने कहा, "अगर आपको चाँद और सितारों की कमी इतनी खलती है, तो दिल्ली से घण्टा भर गाड़ी चलाकर किसी गाँव में पहुँच जाइए और वहाँ अपनी रात बिताइए।"

शर्मा भी तलखी से कहते हैं, "इस वक्त देश में कुरुक्षेत्र के आसार नज़र आ रहे हैं और तुम्हें फूलों भरे पेड़ और चाँदनी रातों की सूझ रही है। इस वक्त आम चुनाव के सिवा लोग और कोई बात नहीं कर रहे क्योंकि उन पर सालों तक देश का जीवन निर्भर करेगा। तुम्हें जीवन को ज़्यादा गम्भीरता से लेना चाहिए।"

बूटा को भी इस तरह हमला किया जाना पसन्द नहीं आया। उसने कहा, "ठीक है, पण्डित जी! हमें कुरुक्षेत्र के बारे में बताइए। इस चुनावी लड़ाई में कौन पाण्डव हैं और कौन कौरव हैं? श्रीकृष्ण इस दफ़ा किसकी तरफ हैं?"

बेग इसमें दखल देते हैं–"पहले मुझे पाण्डव कौन हैं और कौरव कौन, यह बताइए। मैं सिर्फ यह जानता हूँ कि कुरुक्षेत्र हरियाणा में एक शहर है, जिसे हिन्दू पवित्र मानते है।"

शर्मा समझाते हैं–"इसे इसलिए पवित्र मानते हैं क्योंकि यहाँ भाइयों की लड़ाई हुई थी। और यहीं कृष्ण जी ने गीता का उपदेश दिया था, जो हिन्दुओं के लिए मुसलमानों के कुरान शरीफ़ की तरह और ईसाइयों के लिए बाइबिल की तरह पवित्र मानी जाती है। गीता हमें सिखाती है कि क्या सही है और क्या गलत, आदमी को नतीजे की चिन्ता किए

बिना अपने काम कैसे करने चाहिए और अपनी बाधाओं से कैसे बचना चाहिए। यह दुनिया की सबसे महत्त्वपूर्ण किताबों में से एक है। मैं हर रोज़ इसके कुछ अंशों का पाठ करता हूँ।''

''यह जाति-व्यवस्था का भी समर्थन करती है,'' बूटा ने आलोचना के स्वर में कहा।

''यह गलत है,'' शर्मा ने अधिकारी के स्वर में कहा।

''गलत नहीं है,'' बूटा ने कहा। ''इसमें कहा गया है कि जब जातियों का मिलन होता है, संकट पैदा होता है।''

''तुमने इसे गलत समझा है,'' शर्मा ने गुस्से से कहा। ''गीता में जाति का अर्थ है गुण, जन्म की जाति नहीं। ज़रा ज़्यादा ध्यान से—और दुराग्रह के बिना पढ़ो। समझ जाओगे।''

बेग बीच-बचाव की कोशिश करते हैं। ''गीता जातियों के बारे में क्या कहती है, इसे हम भूल जाएँ। इस वक्त हम यह तय करें कि चुनाव में कौन-सा पक्ष सही है, जिसे जीतना चाहिए। और देश को कौन सा पक्ष हानि पहुँचाएगा—जिसे हमें हराना चाहिए।''

''चुनाव के बारे में सबसे शानदार बात यह है कि यह जनता पर छोड़ दिया गया है कि वह इसका फैसला करें—कि पाण्डव कौन हैं और कौरव कौन हैं। और किसे श्रीकृष्ण का आशीर्वाद प्राप्त है।'' शर्मा ने कहा।

''इसे धर्मयुद्ध की शक्ल मत दो।'' बूटा ने बात काटी। ''मुख्य मुद्दा आसान है—एक पक्ष हिन्दुत्व की तरफ है, कि भारत को हिन्दू राष्ट्र बनाया जाए। दूसरा इसे सेकुलर बने रहने देना चाहता है, सब धर्मों से ऊपर मैं इसे हिन्दू फंडूसों और गाँधी के चेलों के बीच की लड़ाई के रूप में देखता हूँ। हिन्दुओं के समर्थक हैं आर.एस.एस., हिन्दू महासभा, शिवसेना और बजरंग दल, जिनका नेतृत्व कर रहे हैं भाजपा के प्रधानमन्त्री पद के दावेदार आडवाणी। गाँधीवादियों का नेतृत्व सोनिया गाँधी, उनके

बेटे राहुल गाँधी और प्रधानमन्त्री पद के दावेदार मनमोहन सिंह कर रहे हैं। मैं शायद समस्या बहुत सपाट ढंग से रख रहा हूँ, लेकिन, मेरा ख्याल है कि आम आदमी इसे इसी ढंग से लेता है।''

''आपने तो मुझे पहले से ज़्यादा उलझा दिया।'' बेग कहते हैं। ''मैं अपनी बेगम से पूछूँगा। वे सियासत मुझसे ज़्यादा समझती हैं।''

''ठीक है।'' उनसे बात करके कल बताना कि उनकी राय क्या है।'' यह कहकर शर्मा जाने के लिए उठ खड़े हुए। बाकी दोनों भी उठे और 'गुडनाइट' कहकर एक-दूसरे से विदा ली।

~

दूसरे दिन जैसे ही तीनों 'बूढ़ा बिंच' पर आकर बैठे, शर्मा ने सवाल कर दिया, ''तो आपकी बेगम साहिबा हमारे प्रधानमन्त्री के बारे में क्या कहती हैं?''

''बहुत सी बातें कहती है,'' बेग ने जवाब दिया। ''वे कहती हैं कि मनमोहन सिंह योग्य और ईमानदार हैं, उन्होंने न कभी बेईमानी से कोई पैसा कमाया है, और न अपने परिवार वालों या दोस्तों को कोई सहूलियत दी है। वे न कभी अपनी तारीफ करते हैं और न किसी की बुराई करते हैं। दूसरे राजनीतिज्ञों की तरह ज़्यादा बोलते भी नहीं हैं–जो हर वक्त कुछ-न-कुछ बकवास करते रहते हैं।'' कुछ देर रुककर बेग कहते हैं, ''मेरी बेगम मनमोहन सिंह से इतनी ज़्यादा प्रभावित हैं, इसका एक कारण यह लगता है कि एक दफा उन्होंने मनमोहन सिंह को टी.वी. पर अपना भाषण पढ़ते सुना। उनका सिर दायें से बायीं तरफ मुड़ा तो उन्होंने चिल्लाकर कहा, ''ये तो उर्दू पढ़ रहे हैं।''

यह सुनकर तीनों ज़ोर से हँसने लगे।

बेग आगे कहते रहे, ''उन्होंने कहा कि मनमोहन सिंह किसी भी

कारवाँ के आदर्श नेता हैं, और इसके समर्थन में उन्होंने इक़बाल का एक शेर सुनाया–

निगाह बुलंद, सुखन दिलनवाज़ जान पुर सोज़।

यही है रख्त-ए-सफ़र मीर-ए-कारवाँ के लिए।

"यानी बड़ी नज़र, दिल को गर्म करने वाली तकरीरें और सबको जीत लेने वाला प्यार–नेता में ऐसे गुण होने चाहिए और ये सब मनमोहन सिंह में हैं।"

शर्मा कुछ देर धीरज रखने के बाद अगला सवाल पेश करते हैं–"यह सब तो ठीक है; वे इकानामिक्स के अच्छे प्रोफेसर थे। लेकिन दुनिया के सबसे बड़े लोकतन्त्र का प्रधानमन्त्री बनने के लिए क्या यह काफी है। लोकसभा प्रधानमन्त्री का चुनाव करती है। जैसा मैं पहले भी कह चुका हूँ, वह सिर्फ एक दफ़ा लोकसभा का चुनाव लड़े और उसमें भी हार गए। उन्हें चुनकर लाने के लिए गुवाहाटी में उनके लिए एक फ्लैट खरीदा गया और असम के सदस्यों ने उन्हें राज्य सभा के लिए चुना। ऐसा कठपुतली व्यक्ति देश का प्रधानमन्त्री कैसे हो सकता है? आडवाणी यही कहते हैं। मेरा ख्याल है कि यह बात सही है। वह सोनिया गाँधी और उनके बेटे राहुल के प्रतिनिधि हैं। सोनिया जानती हैं कि लोग विदेशी महिला को प्रधानमन्त्री के रूप में स्वीकार नहीं करेंगे। और राहुल कांग्रेस को ज़िन्दा बनाए रखने का महत्त्वपूर्ण काम कर रहा है। माँ-बेटे ने एक महत्त्वाकांक्षाहीन लेकिन भले और योग्य आदमी को अपना किला सँभाले रखने के लिए चुन लिया है।"

"और आम आदमी यह सब जानता भी है," बूटा ने इसमें जोड़ा। "अच्छा, बेगम साहिबा ने आडवाणी के बारे में भी कुछ कहा, जो प्रधानमन्त्री बनने का इन्तज़ार कर रहे हैं।"

बेग कुछ ठहरकर जवाब देते है, "वे तो उनके खिलाफ हैं। उन्होंने बाबरी मस्जिद तुड़वाई। इसके लिए उन्हें कैसे माफ किया जा सकता

है? वे कहती हैं कि भाजपा को मतोपा कहना चाहिए—मस्जिद तोड़ पार्टी।"

"यह भी आम आदमी की राय है।" बूटा ने कहा, "हिन्दुओं ने मुसलमानों को सदियों पहले तोड़े गए मन्दिरों के लिए अभी तक माफ़ नहीं किया है। मुसलमान और सही हिन्दू आडवाणी एंड कम्पनी को सिर्फ सत्रह साल पहले किए गए गुनाह के लिए कैसे माफ़ कर सकते हैं? बेग साहब, इस चुनावी लड़ाई के कुरुक्षेत्र में यही मुख्य मुद्दा है।"

~

मई 2009 की 16 तारीख, शनिवार, पिछले और सालों की 16 तारीख की ही तरह है; इस दिन भी सूरज 5.43 बजे सवेरे निकलकर दिन को महीने का सबसे गर्म दिन बनाने के लिए निकलेगा। हफ्ते का आखिरी दिन होने के कारण रोज़ से कम लोग काम पर जाएँगे। लेकिन उन्हें कुछ और ज़रूरी बातों का सामना करना है। इस दिन देश के भविष्य की घोषणा की जाने वाली है। दरअसल देश भर के चुनाव के डिब्बों में यह भविष्य पहले ही बन्द कर दिया गया है, अब जो होना है, वह यह कि इन डिब्बों में क्या छिपा है, जनता का देश के भविष्य के बारे में मत क्या है, इसकी घोषणा की जानी है। इसलिए हर घर के लोग अपने रेडियो या टी.वी. को लगाए बैठे हैं और उससे चिपककर बैठे अपने भविष्य को जानने का इन्तज़ार कर रहे हैं। शर्मा बूटा और बेग के घरों का भी यही आलम है। सवेरे तड़के ही टेलीविज़न चला दिए गए हैं और परिवार के सदस्य, नौकर-चाकर और उनके घरवाले, सब उनके इर्द-ग़िर्द चौकड़ी मारे बैठे हैं। शर्मा चुनाव-परिणामों से निरपेक्ष-से हैं। उनकी बहन, जो सवेरे नौकरों को इकट्ठा करके मतदान-केन्द्र पर हिन्दुत्ववादी दल के नाम वोट डलवाने ले गई थीं, बेसब्री से इन्तज़ार कर रही है। चुनाव परिणाम

आने लगते हैं तो वह परेशान होकर कहती है, ''यह क्या हो रहा है?'' उनका यह सवाल अपने भाई से है।

''कुछ नहीं हो रहा, नतीजे आ रहे हैं,'' भाई का जवाब आता है।

''क्या हम अपना देश सिखों के हवाले कर देंगे? क्या हम हिन्दू अपना देश नहीं चला सकते?''

शर्मा सख़्त लहज़े में कहते हैं, ''परेशान होने की ज़रूरत नहीं है। सिख लम्बे बाल और दाढ़ियों वाले हिन्दू ही हैं। दोनों कोई अलग नहीं हैं।''

''तुम किसी सिख से कहकर तो देखो कि वह हिन्दू है, और सुनो कि वह क्या कहता है,'' बहन कहती है। ''जब उसके बारह बजते हैं, उसकी अक्ल गायब हो जाती है।''

शर्मा धीरे से कहते हैं, ''यह भाषा इस्तेमाल मत करो। सिर्फ नतीजे सुनती रहो।''

बूटा कागज़ और कलम लेकर बैठ गए हैं और चुनाव के नतीजे बाकायदा लिखते जा रहे हैं। बेग अपने हिसाब-किताब के रजिस्टर देखने में लगे हैं और सोच रहे हैं कि सेकेण्ड-हेण्ड नतीजों से ही काम चला लेंगे।

दोपहर तक यह साफ़ हो गया कि सोनिया गाँधी, बेटे राहुल और घोषित प्रधानमन्त्री मनमोहन सिंह के नेतृत्व में कांग्रेस पार्टी ही स्पष्ट रूप से चुनाव जीतने जा रही है और भाजपा नेता आडवाणी के नेतृत्व में लड़ रहे हिन्दुत्ववादी दल बुरी तरह चुनाव हार रहे हैं। शाम होते-होते आडवाणी अपनी पराजय की घोषणा कर देते हैं और भाजपा के नेता पद से इस्तीफ़ा दे देते हैं।

यह समाचार सनसेट क्लब के सदस्यों के घरों में अलग-अलग ढंग से ग्रहण किया जाता है। शर्मा इस बात से चिन्तित हैं कि हिन्दू दलों का इतना बुरा हाल रहा और अब संसद में विरोधी दल ही समाप्त हो जाएगा। वह भारतीय लोकतंत्र के भविष्य पर विचार करने लगते हैं।

बूटा को इस स्थिति से कोई शिकायत नहीं है, वे इस परिणाम को अपनी व्यक्तिगत जीत मानते हैं और इनाम के तौर पर अपनी प्रिय सिंगिल माल्ट स्कॉच ह्विस्की के तीन पेग चढ़ा लेते हैं। बेग के घर में बेगम साहिबा बेतहाशा खुश हैं। 'शाबाश', वे आडवाणी पर लानत भेजती हैं, "मज़ा चखा दिया, और तोड़ मस्जिदें, निकम्मा कहीं का। और तू हमारे मनमोहन को 'निकम्मा' कहता है!"

दूसरे दिन सवेरे शर्मा शान्त नज़र आ रहे हैं, जैसा उन जैसे दार्शनिक–उच्च अधिकारी से अपेक्षित है। बस, बूटा की हालत खराब है। शराब का असर अभी तक गया नहीं है और बदहज़मी जकड़ कर रह गई है। वे बहुत ज़ोर लगाते हैं कि पेट साफ़ हो जाए लेकिन कोई नतीजा नहीं निकलता। वे तीन-चार दफ़ा कोशिश करते हैं लेकिन कोई नतीजा नहीं निकलता। वे चुप होकर आराम-कुर्सी पर बैठ जाते हैं और सोचने लगते हैं कि क्या करूँ। लेकिन तभी उनके पेट में दबाव बनना शुरू हो जाता है और वे खुश होकर कमोड पर जाकर बैठ जाते हैं। इस दफ़ा उनका पेट धड़ाक की आवाज़ करके खुल जाता है, जैसे शेंपेन की बोतल से उसकी डाट निकली हो। पेट से गोले बनकर निकलने शुरू हो जाते हैं, जैसे हाथी के पेट से निकलते हैं। टॉयलेट भर जाता है तो वे उसकी जाँच करते हैं और देखकर खुश होते हैं। उनके सिर की सनसनाहट खत्म हो जाती है, और उन्हें नींद आ जाती है। घण्टा भर सो लेने के बाद वे पार्क जाने के सही समय पर उठ जाते हैं।

बेग उनका पीला चेहरा और ढीली-ढीली चाल देखकर पूछते हैं, "बूटा जी, लगता है आप रात भर चुनाव का जश्न मनाते रहे हैं?"

"हाँ, ठीक कहते हो," बूटा ने जवाब दिया। "और उसकी कीमत भी चुकाता रहा हूँ। दिन भर मैं बीमार रहा।"

"सीमा में रहना सीखो," शर्मा राय देते हैं। "चुनाव आते हैं और जाते हैं। भ्रष्ट राजनीतिज्ञों का एक दल हारता है तो दूसरे भ्रष्ट लोगों का दल सत्ता में आ जाता है। बदलता कुछ भी नहीं है।"

“तुम सौ फीसदी सही कह रहे हो,” बेग ने कहा। “लेकिन पिछले कई महीनों से मैंने चुनाव के सिवा और कोई बात नहीं सुनी है, जैसे दुनिया में इसे छोड़कर बात का कोई और विषय ही नहीं बचा है। अब हम फैसला करें कि आगे से चुनाव की कोई बात नहीं करेंगे। लाओ, हाथ बढ़ाओ।”

शर्मा और बूटा दोनों ने अपने हाथ बढ़ाए और बेग ने उनमें अपने हाथ मिला दिए। “फिर कहो, तो अब यह तय है। चुनाव की बातें खत्म।”

6

झुलसाने वाले दिन

कहा गया है कि नरक बड़ी गर्म जगह है। अगर आप उसका स्वाद लेना चाहते हों तो दिल्ली में जून का महीना बिताइए। महीना शुरू होने से पहले की रात पानी बरसा था। दिल्ली वाले सवेरे सोकर उठे तो हल्की, ठण्डी हवा चल रही थी और आसमान में बारिश से भीगी धरती की सौंधी महक छाई हुई थी। ''यह मानसून तो हो नहीं सकता,'' उनका कहना है, ''लेकिन यह दिल्ली के लिए चल पड़ी है। अगर केरल में पानी की झड़ी लगी है तो यह जल्द यहाँ भी पहुँच जाएगी।'' लेकिन यह भ्रम ही साबित हुआ। जून 2009 का महीना पिछले सालों के जून की ही तरह लम्बा और कष्टप्रद साबित हुआ। तापमान 43 डिगरी के बीच ही हर दिन, उठता-गिरता रहा, जिसमें साल का सबसे बड़ा, 21 जून को पड़ने वाला दिन भी शामिल है। गुरु नानक ने जून की परेशानी का अपनी 'बारामासी' में ज़िक्र किया है।

लेकिन दृश्य, पहली नज़र में जैसा लगता है, उतना बुरा नहीं है। जून भले ही नरक की तरह गर्म रहने वाला महीना हो, लेकिन इसी में बहुत स्वादिष्ट फल, आम का भी मौसम शुरू होता है और दुनिया का सर्वश्रेष्ठ आम यहीं होता है। और भारतवासी आम खाने के शौकीन भी बहुत हैं। कहा जाता है कि उर्दू के सर्वश्रेष्ठ शायर और दिल्ली की शान, मिर्ज़ा असदुल्लाखाँ गालिब रोज़ एक दर्जन आम खाते थे। एक दिन उनका एक दोस्त, जिसे आम ज़्यादा पसन्द नहीं थे, उनके पास बैठा हुआ था, कि एक गधा वहाँ से गुज़रा। उसने वहाँ चूसे हुए आमों के छिलके और गुठलियों का ढेर लगा देखा, तो उनकी तरफ बढ़ा, उन्हें सूँघा और फिर वहाँ से आगे बढ़ गया। दोस्त ने यह घटना देखकर मिर्ज़ा गालिब से कहा, "देखिए, मिर्जा साहब, गधे भी आम नहीं खाते।" मिर्जा चुप कहाँ बैठने वाले थे, जवाब दिया, "जी हाँ, गधे ही आम नहीं खाते।"

आम की दो हज़ार के करीब किस्में हैं, जिनमें बहुत छोटे मटर के दाने के बराबर आम से लेकर तरबूज़ के बराबर बड़े आम तक अनेक प्रकार के आम शामिल हैं। हरेक का स्वाद और खुशबू अलग-अलग है। सबसे महँगे कोंकण के अल्फोंसो आम होते हैं और इन्हीं का निर्यात किया जाता है। लेकिन दिल्ली वाले पश्चिमी उत्तर प्रदेश में पैदा होने वाले आम पसन्द करते हैं—दशहरी, लँगड़े, चौसा और रतौल। बेग की दिल्ली में ज़मीन तो है ही, लखनऊ के पास भी उनका आम का एक बड़ा बाग़ है। वे आम को बेचना पसन्द नहीं करते, बल्कि अपने दोस्तों को इसकी टोकरियाँ भिजवाना पसन्द करते हैं; फिर भी अपने परिवार और नौकर-चाकरों के लिए काफी आम बचे रहते हैं। उनकी यह आमों की सौगात पण्डित शर्मा और सरदार बूटा सिंह को भी प्राप्त होती है।

शर्मा को तो आम बहुत अच्छे लगते हैं, लेकिन उनकी बहन, जो घर के लिए फल-सब्जी और दूसरी चीज़ों की खरीद-फरोख्त करती हैं, आम को महँगा मानती हैं, और फलों में केले ही खरीदती हैं। आम उन्हें बेग के ही खाने को मिलते हैं। आम बूटा को भी पसन्द हैं। उनके बम्बई

के कुछ धनी दोस्त उन्हें अल्फोंसो आम भेजते हैं। जब तक वे एक टोकरी खत्म करते हैं, दूसरी आ जाती है। उन्हें कभी आम खरीदना नहीं पड़ता। लेकिन उन्हें अपनी सेहत का ख्याल रखना पड़ता है, इसलिए वे ज्यादा आम नहीं खाते, शाम को सिर्फ एक खाते हैं। आम को दस्तावर भी कहा जाता है, और उनकी बदहज़मी में इससे फायदा होता है। लेकिन उन्हें ब्लड शुगर भी है और वे डायबिटीज़ के भी शिकार हैं। इसलिए उन्होंने दिन भर में सिर्फ एक आम खाने का नियम बनाया हुआ है।

बेग को अपने बाग़ के फल खाने से कोई परेशानी नहीं होती। न उनके घर के किसी और व्यक्ति को होती है। इसलिए हर शाम पानी में ठण्डे किए हुए आमों से भरी हुई बाल्टियाँ उनके बड़े वाले कमरे में लाई जाती हैं और लोग जी भरकर आम खाते हैं। आम खाने के लिए प्लेट, चाकू या चम्मचों की ज़रूरत नहीं पड़ती, उन्हें हाथ से ही खाना सबसे अच्छा होता है–दाँत गढ़ाकर छिलका उतारिए, फिर हाथों से दबाकर रस चूस लीजिए, फिर गुठली भी चूस डालिए। सामने खाली होती आमों की टोकरी रखी होती है। गुठली और छिलका उसमें फेंकते जाइए। आम की दावत का आखिरी हिस्सा है पानी से हाथ धोना और मुँह साफ़ करना।

आम खाना बहुत अटपटा काम है। यह एक वजह है कि दुनिया में भारतीय उपमहाद्वीप के लोग ही इसे खाना पसन्द करते हैं और इसे फलों का राजा मानते हैं।

~

अपनी झुलसती हुई धूप और बेतहाशा गर्मी के बावजूद महीना आगे बढ़ता चला जाता है। हमारे तीनों चरित्र सारा दिन बातानुकूलित कमरों में बिताते हैं और काफ़ी शाम होने पर थोड़ी-बहुत ठण्डी हवा खाने और दोस्तों से गपशप करने लोदी गार्डन आते हैं। 30 जून को सवेरे हलकी बारिश हुई है और खुश्क, गर्म हवा नम, उमस भरी गर्म हवा में बदल गई है। बूटा

और बेग एक साथ गार्डन में आते हैं। कुछ देर शर्मा का इन्तज़ार और यह फिक्र करने, कि शर्मा को आज क्या हुआ? वे शान्त हो जाते हैं, क्योंकि शर्मा मीन-मेख निकालने वाला आदमी है और उसके सामने वे अपनी जवानी के दिनों के किस्से-कहानियाँ एक-दूसरे को मज़े ले-लेकर सुना नहीं सकते। जब उन्हें लगता है कि अब शर्मा नहीं आएगा, बेग बूटा से पूछते है, "किसी सेक्स से टपकती-चिपकती औरत के साथ अपने रिश्ते की कहानी सुनाओ—चोंदी, चोंदी, मज़ेदार।

बूटा ने कई दफा इस घटना के बारे में सोचा है और उसे विश्वास नहीं होता कि ऐसा सचमुच हुआ था। वह सुनाना शुरू करते हैं—"मैंने तुम्हें बताया नहीं कि एक दफ़ा में अखबारों के लिए काम करने के अलावा ताजमहल देखने आगरा जाने वाले विदेशियों के लिए टूर भी आयोजित करता था। क्योंकि आगरा की ऐतिहासिक इमारतों के बारे में मैंने एक छोटी-सी किताब भी लिखी थी, और मैं अंग्रेज़ी भी बोल लेता था, भारत सरकार मुझे कई दफ़ा महत्त्वपूर्ण विदेशी अतिथियों को आगरा घुमाने का ज़िम्मा भी सौंप देती थी। अच्छी आमदनी होती थी—रोज़ हजार रुपये और होटल वगैरह का खर्चा-पानी अलग से। यह बात काफी साल पहले की है, जब मैं चालीस के दशक में चल रहा था। अमेरीका के राष्ट्रपति जनरल आइज़नहावर सरकारी यात्रा पर भारत आए। उनके साथ पत्रकारों का एक बड़ा दल था। हमारे टूरिज़्म मन्त्री ने उन्हें आगरा की यात्रा का निमन्त्रण दिया और मुझे उन्हें घुमाने का काम सौंपा। उन्हें आगरा ले जाने और वापस लाने के लिए हवाई जहाज़ लिया गया। मैंने उन्हें आगरा, शाहजहाँ और ताज़महल के बारे में ज़्यादा-से-ज़्यादा बताने की कोशिश की, लेकिन इन्हें इस सबमें कोई रुचि नहीं थी। जब हम ताज पहुँचे, तब वे एक ही बात कहते थे, "क्या बात है! इसकी क्या कीमत रही होगी?" मैंने रुपयों को डॉलर बनाकर उन्हें बताने की कोशिश की लेकिन उन पर कोई प्रभाव नहीं पड़ा। वे यही सवाल करते रहे, "बादशाह को इसे बनाने में कितना वक्त लगा होगा—जिसने भी इसे बनाया हो?" मैं

परेशान हो उठा। फिर शाम को हम भारत-अमेरिका सम्बन्धों पर होने वाली प्रेस कान्फ्रैंस के लिए समय रहते दिल्ली लौट आए।"

"इसमें चोंदी-चोंदी क्या बात हुई?" बेग ने सवाल किया। "कोई औरत पत्रकार तो तुमने बताई नहीं?"

"अरे भई, ज़रा इन्तज़ार तो करो। मैं उस घटना पर आ रहा हूँ। दूसरे दिन शाम मैं टूरिज़्म के दफ्तर अपनी फ़ीस के पैसे लेने पहुँचा। वहाँ एक हिन्दुस्तानी औरत थी—पचास साल की, गोलमोल, मोटा चश्मा लगाए हुए। मेम साहब की तरह अंग्रेज़ी बोल रही थी। मैंने देखा कि उसकी दायीं कलाई पर स्टील का एक कड़ा है और बगल में एक छोटी-सी कटार लटक रही है। मुझे लगा कि वह इंग्लैण्ड में रहती है और सिख है। मैं फीस लेने लगा तो उसने मुझसे पूछा, "आप टूरिस्ट गाइड हैं?" मैंने कहा, "जी, मैडम, जब मेरे पास समय होता है, मैं विदेशियों को आगरा घुमाता हूँ।"

"चार्ज क्या करते हो?" उसने पूछा।

"हज़ार रुपये रोज़ और होटल का खर्चा।"

"क्या कल समय है? मैं ताज देखना चाहती हूँ?"

"मैं ज़रा देर रुका। वह आकर्षक नहीं थी और मुझे उसका लहज़ा भी पसन्द नहीं आया। लेकिन फिर भी मैंने कहा, "हमें रात को आगरा में ठहरना पड़ेगा। शहर में और भी बहुत सी देखने वाली जगहें हैं।"

"मुझे इसमें कोई परेशानी नहीं है। मैं रात को ठहर सकती हूँ, लेकिन मुझे सिर्फ ताज ही देखना है। दूसरी इमारतों में मुझे कोई रुचि नहीं है। कुछ पेशगी चाहेंगे?" उसने पूछा।

"नहीं, मैडम। बाद में ही ठीक रहेगा।"

"मैं अशोका होटल में ठहरी हूँ। सवेरे आठ बजे पहुँच जाना। मैंने एक ए.सी. टैक्सी बुक की हुई है और मैं जल्दी निकल जाना चाहूँगी, क्योंकि मुझे तेज़ ड्राइविंग पसन्द नहीं है और मैं गाँव-देहात भी देख सकती हूँ। यह ठीक रहेगा?"

“जी, मैडम,” मैंने जवाब दिया।

“बेग, वास्तव में मैं इस काम को करना नहीं चाहता था, लेकिन यह घमण्डी सिखनी मुझे परेशान कर रही थी। इसलिए दूसरे दिन ठीक आठ बजे मैं अशोका पहुँच गया। वह मुख्य द्वार पर मर्सिडीज-बेन्ज़ टैक्सी और वर्दी पहने शोफर के साथ मेरा इन्तज़ार कर रही थी। मैंने उसे 'सतश्री अकाल' यह बताने के लिए कहा कि मेरी ही तरह वह भी सिख है।” उसने हल्का-सा सिर हिला दिया। मैं सामने शोफ़र के बगल में बैठ गया और वह पीछे वाली सीट पर बैठ गई। हम रवाना हुए, दिल्ली से निकले, फरीदाबाद गुज़र गया। जब मैंने घूमकर उसे कुछ बताने की कोशिश की, तो वह गुटका से पाठ कर रही थी। जब हम सिकन्दरा पहुँचे और मैंने पूछा कि क्या वह सिकन्दरा देखना चाहेंगी, तो उसने जवाब दिया, “नहीं, सिर्फ ताज देखना है।”

“अब हम आगरा पहुँचे और ताज के पास ही एक पाँच-सितारा होटल में ठहर गए। उसने अगल-बगल वाले दो कमरे बुक करवाए। लंच का समय हो गया था। उसने अपना लंच अपने कमरे में मँगवाया और कहा, “साढ़े तीन बजे ताज चलना है।”

“होटल के लोग मुझे जानते थे, और उन्होंने मुझसे ठहरने और खाने का कोई पैसा नहीं लिया, क्योंकि मैं अक्सर उनके लिए विदेशी मेहमान लेकर आता था। मैंने अपना लंच किया, अपने कमरे में कुछ देर आराम किया और ठीक साढ़े तीन बजे उसके शोफ़र के, साथ उसका इन्तज़ार करने लगा। “चलो,” उसने पहली दफा हिन्दुस्तानी बोली। मैंने उसके लिए गाड़ी का दरवाज़ा खोला और खुद ड्राइवर के साथ जाकर बैठ गया। कुछ ही मिनटों बाद हम ताज पहुँच गए। उन दिनों प्रवेश की कोई टिकट नहीं थी, इसलिए हम सीधे फाटक से भीतर जा पहुँचे। वह बर्फ की तरह सफेद मकबरे के सामने खड़ी होकर बोली, “वाह! कितना सुन्दर है। अब मैं इंग्लैण्ड जाकर हरेक को बता सकूँगी कि मैंने भी ताज देखा है।”

"हम मुख्य इमारत की तरफ बढ़े। सीढ़ियाँ उसके लिए काफी ऊँची थीं, इसलिए उसने मुझसे अपना हाथ थामने को कहा। मैंने आगे बढ़कर उसका गर्म, चिपचिपाता हाथ पकड़ा और ऊपर चढ़ाकर ले गया। मैं उसे भीतर ले गया, दोनों गुम्बद दिखाए और चारों तरफ चक्कर लगवाया। "मैं थक गई हूँ," वह बोली। "यहाँ आराम करने के लिए कोई जगह होगी?" मैं उसे पीछे की तरफ़ ले गया जहाँ पत्थर की एक बेंच थी और जहाँ से पीछे बहती यमुना और मैदानों का नज़ारा लिया जा सकता था।

"तुम अंग्रेज़ी बहुत अच्छी बोलते हो," उसने कहा, "यह कहाँ सीखी?"

"इंग्लैण्ड में," मैंने जवाब दिया।

"इंग्लैण्ड तुम क्या करने गए थे?" उसने पूछा।

"कॉलेज में पढ़ता था," मेरा जवाब था।

"मैं बता नहीं सकता कि कितनी फुर्ती से मेरे प्रति उसका व्यवहार बदल गया। "मुझे अफसोस है, मुझे यह पता नहीं था," वह बोली, "मेरा ख्याल था कि तुम सिर्फ सरकारी टूरिस्ट गाइड हो। यह काम क्यों करते हो?"

"कभी-कभी कर लेता हूँ, अच्छा लगता है। मज़ेदार लोगों से मुलाकात होती है। बहुत सारी चढ़ती उम्र की औरतें। दोस्तों की तरह।"

"उनके साथ मज़ा करते हो?"

"कुछ के साथ; वे खुद पहल करती हैं।"

"इसके लिए उनसे अलग पैसे भी लेते हो?"

"मैडम, मैं जिगोलो (भड़ुआ) नहीं हूँ। लेकिन वे उपहार दे जाती हैं। बहुत से पेन। मेरे पास पार्कर, मांट ब्लेंक और क्रास फाउन्टेन पेनों का संग्रह है।"

"वह परेशान सी लगी। लेकिन सीढ़ियाँ उतरने के लिए उसे मेरा हाथ पकड़ना ही था। अब उसने मुझे अपने साथ पीछे की सीट पर बैठाया। जब तक हम होटल पहुँचे, अँधेरा हो चुका था। उसने शाम की प्रार्थना

की और घण्टे भर बाद कमरे में ही डिनर मँगवाया। मैं बार पर गया और एक बड़े सिंगिल माल्ट और सोडा का आर्डर दिया। फिर एक दूसरा पेग लिया। डटकर खाना खाया–फ्रेंच वाइन के साथ बीफ़ स्टीक और उसके बाद कोन्याक। सब उसी के खर्चे पर। जब मैं चाभी लेने रिसेप्शन डेस्क पर गया, तब तक मैं झूमने लगा था। डेस्क पर बैठे आदमी ने चाभियों के बोर्ड की तरफ देखा और कहा, ''सर लगता है, जिन मैडम को आप अपने साथ घुमा रहे हैं, वे दोनों कमरों की चाभियां अपने साथ ले गई हैं।''

''सच कहूँ तो यह सुनकर मैं परेशान हो उठा। वह मेरे कमरे की चाभी अपने साथ क्यों ले गई है? मुझे अपने कमरे में जाने के लिए क्या उससे प्रार्थना करनी पड़ेगी? जो हो, मैं उसके कमरे की तरफ गया तो पाया कि दरवाज़ा एकदम खुला पड़ा है। मैंने उसे धक्का दिया। वह पलंग पर पड़ी थी, टेबिल लेंप जल रहा था। चश्मे के बिना वह कम खतरनाक लग रही थी। उसने अपनी बाँहें फैला दीं और कहा, ''आओ, दरवाज़ा बन्द कर देना।'' मैंने जो उसने कहा, किया और पलंग पर उसके बगल में लेट गया। मैंने अपनी पेंट उतार दी और उससे सट गया। वह धुर नंगी थी। ''कच्छा भी नहीं पहना है?'' मैंने पूछा। ''नहीं, न कच्छा है, न किरपान। फिर हमने सहवास किया उसने आवाज़ की 'वाहेगुरु' और आँखें बन्द कर लीं। पता है, जब आप औरत के साथ भावनात्मक रूप से सम्बद्ध नहीं होते, तब आप देर तक उसके साथ लगे रह सकते हैं। और अगर पिए हुए हों तो और भी ज्यादा देर तक।

''तो जैसे अनंत काल तक हम लगे रहे। फिर, लगा जैसे घण्टे भर के बाद मुझे अपने नीचे एक तड़प महसूस हुई और वह चीखी, ''हाय, मर गई। वाहे गुरु!'' वह अलग हट गई और बोली, ''बड़ा मज़ा आया। अब जाकर सो जाओ।''

''मेरे कमरे की चाबी लेंप की बगल में रखी मेज़ पर थी। मैंने अपनी पैंट पहनी और लड़खड़ाता अपने कमरे तक आया। मैं इतना थक

गया था कि सफाई करने और पाजामा बदलने से भी कतरा रहा था। जैसे ही मैंने तकिये पर अपना सिर रखा, मैं दुनिया से गायब हो गया। बेग, तुम मेरी बात पर विश्वास नहीं करोगे, लेकिन मैं उसका नाम तक नहीं जानता था–सिर्फ मिसेज़ सिंह उसका नाम था। और उसने भी मेरा नाम पूछने की ज़हमत नहीं उठाई–मैं उसके लिए सिर्फ़ मि. सिंह था, टूरिस्ट गाइड।

"दूसरे दिन हम दिल्ली वापस आ गए। हालांकि हम दोनों पीछे की सीट पर एक साथ बैठे थे, वह अपना गुटका पढ़ती रही। उसने मुझे कनाट प्लेस में छोड़ दिया और कहा, "तुम्हें जानकर अच्छा लगा।" उसने मुझे आगरे के होटल का एक सील्ड लिफाफा दिया और कहा, "इसमें तुम्हारी फीस है। धन्यवाद!" वह होटल चली गई और उसी रात की फ्लाइट से लन्दन लौट गई। अपने फ्लैट में लौटकर मैंने लिफाफा खोला। इसमें दो हज़ार रुपए थे–एक हज़ार गाइड के रूप में मेरी फीस के और एक हज़ार मेरी सेवाओं के। इसके बाद मेरा उससे कोई सम्पर्क नहीं हुआ–पता नहीं, वह ज़िन्दा भी है या मर गई है।"

"तो उसने तुम्हें जिगोलो की तरह इस्तेमाल किया," बेग ने टिप्पणी की।

"ये शायद बुरा नहीं है," बूटा का जवाब था, "बशर्ते जिगोलो अपनी औरत का चुनाव खुद कर सके, यह काम दूसरा न करे।"

~

जून का अन्त है और अब तक तीन ही दिन बारिश हुई है। "यह कम्बख्त मानसून को क्या हुआ है?" बेग पूछते हैं।

"प्रकृति की कारगुज़ारियाँ हैं", शर्मा गम्भीरता से जवाब देते हैं। "कई साल बहुत ज़्यादा बरसात होती है और बाढ़ें आती हैं, जिनमें गाँव-के-गाँव बह जाते हैं। कई साल इतनी कम बारिश होती है कि सूखा पड़ने लगता है। लेकिन अब भारत में लोग भूख से नहीं मरते। नहरें

और ट्यूबवैल बन गए हैं जिनसे खेतों की सिंचाई होती है। गेहूँ और चावल के रिज़र्व भण्डार हैं जिनसे, ज़रूरत पड़ने पर, सस्ते दामों में अनाज बेचा जाता है।''

बेग इससे सन्तुष्ट नहीं होते। वे कहते हैं, ''मेरी बात सुन लो। अगर जल्दी बारिश नहीं हुई तो क़हत पड़ने लगेगा—अकाल। मेरी बेगम कहने लगी हैं—उन्होंने ज़रूरत के वक्त के लिए गेहूँ, चावल और अचार इकट्ठा करना शुरू कर दिया है।''

कुछ देर दोनों चुप बने रहे।

काले और सफ़ेद पक्षियों का एक झुण्ड आसमान में उड़ता है और पेड़ों की टहनियों पर चहचहाता हुआ आकर बैठ जाता है।

''जानते हो, ये चिड़ियाँ कौन हैं?'' बूटा पूछते हैं। ''ये सुदूर अफ्रीका से यहाँ आती हैं, मानसूनी हवाओं के सहारे, और मोटे तौर पर जून के शुरू में ये हमारे पश्चिमी समुद्र पर आ पहुँचती हैं। इन्हें मानसून-पक्षी ही कहते हैं—मेघ-पपीहे हैं, मानसून के सन्देशवाहक। इसलिए उम्मीद छोड़ने की ज़रूरत नहीं है।''

7
मोर की पुकार

जुलाई में मानसून के बादल दिल्ली के आसमान को ढँक लेते हैं। सीलन से भरी तूफानी हवाएँ पेड़ों को झकझोरे डाल रही है और उनकी शाखाएँ दरवेशों की तरह हवा में झूमती नज़र आती हैं। बिजली कड़क रही है, तूफान और वर्षा कहर ढा रहे हैं। लोग भीगने और बारिश में नाचने के लिए सड़कों पर निकल आए हैं। बाग़-बगीचों में मोर अपनी पूँछें फैला रहे हैं, उनके पँख उत्तेजना से फड़कने लगे हैं और वे अपनी पसन्द की मोरनियों के इर्द-गिर्द आसमान में सिर उठाए चीख रहे हैं—पाँव, पाँव।

जुलाई 2009 की शुरुआत मटियाले बादलों से होती है जो शहर पर छाये हुए हैं। लोग आशा में ऊपर सिर उठाकर देखते हैं और बारिश के लिए प्रार्थना करते हैं। एक बूँद भी नहीं गिरती। लेकिन सनसेट क्लब के तीनों सदस्य मूसलाधार बारिश के खिलाफ़ कोई सम्भावना स्वीकार करने को तैयार नहीं हैं और लोदी गार्डन में उस शाम की बैठक स्थगित कर देते हैं।

~

2 जुलाई के दिन दिल्ली हाईकोर्ट ने फैसला दिया कि आपसी सहमति से लौंडेबाज़ी अब दण्डनीय अपराध नहीं मानी जाएगी। पाश्चात्य देशों के लिए तो यह कोई नई बात नहीं है और वहाँ एक लिंग के जोड़ों की शादियाँ कानूनी मान ली गई हैं। लेकिन प्राच्य देशों, विशेषकर इस्लामी देशों में, इसे स्वीकार नहीं किया जाता। ज़्यादातर धार्मिक भावनाओं वाले समाजों में भी, चाहे वे हिन्दू हों या मुसलमान या ईसाई या सिख, इसे स्वीकार नहीं किया जाता। सड़क का आम आदमी भी इसे स्वीकार करने को तैयार नहीं होता, भले ही उसने खुद लौंडेबाज़ी की हो। हर बड़ी उम्र का व्यक्ति, जिसे औरतें उपलब्ध हैं लेकिन फिर भी वह लड़कों के साथ सोता है, गाँडू कहा जाता है।

3 जुलाई को दिल्ली हाई कोर्ट का फैसला सभी राष्ट्रीय दैनिकों की सुर्खियों में रहा और टी.वी. चैनलों ने भी इसे प्रमुखता दी। उन्होंने प्रसिद्ध व्यक्तियों के इण्टरव्यू लिए और इस विषये पर उनके विचार जाने। उस शाम सनसेट क्लब की मीटिंग में भी इसी की चर्चा होती रही।

तीनों बैठ गए तो बेग ने सवाल दागा, ''समलिंगी सेक्स के बारे में हाई कोर्ट ने जो निर्णय दिया है, उसके बारे में आपका कहना क्या है?''

''मेरा ख्याल है कि यह बड़ी गलती है, बहुत बड़ी गलती है'', शर्मा ने कहा। ''यह प्रकृति के ही विरुद्ध है, सारे धर्म इसे पाप मानते हैं। हम तो सिर्फ पश्चिम की नकल करते हैं जिससे विकसित देशों में गिने जाएँ। मैं जानता हूँ कि बूटा इससे सहमत नहीं होंगे।''

''हाँ, नहीं हूँ,'' बूटा ने कहा, ''जैसा आप कहते हैं, समलैंगिकता प्रकृति के खिलाफ़ नहीं है। मनुष्य के बनाए कानूनों से इसे अपराध घोषित करना ज़रूर प्रकृति के खिलाफ है। सेक्स की भावना जब ज़ोर मारती है, वह हर रास्ते का उपयोग करती है। हम सब कभी-न-कभी समलैंगिकता के दौर से गुज़रते हैं। जब हमें औरतें मिल जाती हैं, तब ज़्यादातर लोग इससे उबर जाते हैं। फिर भी थोड़े से लोग ऐसे बचे रहते हैं, जो अपने

को 'गे' कहते हैं। अगर आप ध्यान से देखें तो यह जानवरों में भी मौजूद है। मैंने कम उम्र के कुत्तों और बन्दरों में इसे देखा है। शर्मा जी, आपके डब्बुओं ने आपके पैर सहलाए होंगे। मैं गलत कहता हूँ?''

बेग विषय पर विचार करते हैं और कहते हैं, ''मैं बूटा से इस बात पर सहमत हूँ कि हम सब इससे होकर गुजरते हैं। शायद यह भी प्रकृति का ही नियम है। लेकिन फिर सारे धर्म इसकी निन्दा क्यों करते हैं? बाइबिल में सोडोम और गमोरा की कहानी याद करो। कुरान भी इसकी निन्दा करती है। हालाँकि मैं हिन्दू और सिख धर्मों के बारे में नहीं जानता कि वे क्या कहते हैं। शर्मा जी, आप जानते होंगे।''

शर्मा के जवाब देने से पहले बूटा बोल पड़ते हैं, ''जवाब आसान है। जब सारे धर्म पैदा हुए थे, सब जगह जनसंख्या बहुत कम थी, और लोगों को उसे बढ़ाने के लिए उत्साहित किया जाता था। लेकिन आज बहुत से देश, जिनमें हमारा देश सबसे आगे है, बड़ी आबादियों के देश हो गए हैं। अब हम और ज़्यादा लोग पैदा नहीं कर सकते। समलैंगिकता को कानूनी मान्यता देने से कोई ज्यादा असर नहीं पड़ेगा।''

''इस तर्क से तो यह भी कहा जा सकता है कि सरकार को हर मोहल्ले में रण्डीखाने भी बनवाने चाहिए। जिससे आदमी जितना ज़्यादा चाहें, सेक्स का मज़ा ले सके, लेकिन आबादी पर रोक लगी रहे।'' बेग ने कहा।

''मैं वेश्यावृत्ति को कानूनी कर देने के पक्ष में हूँ,'' बूटा ने कहा। ''हर वेश्यालय में कन्डोम दिए जाएं, वेश्याओं का नियमित मेडिकल चेक-अप किया जाए और पचास की उम्र के बाद उन्हें पेंशन भी दी जाए। न कोई पिंप हों, न पुलिस दखल दे।'' यह कहकर उनका चेहरा चमकने लगा। ''बेग, तुम क्या कहते हो?''

''मैं स्पष्ट नहीं हूँ,'' बेग ने स्वीकार किया। ''बचपन में मैं लड़कों के साथ यह सब करता था, फिर कुछ रण्डियां भी देखीं। लेकिन अब मैं खुश और शादीशुदा हूँ और मेरा मानना है कि लौंडेबाजी और रण्डीबाजी

दोनों ही गलत हैं। इसलिए मैं अपना मुँह बन्द रखना ही ठीक समझता हूँ।''

काफी देर हो गई थी। सबके नौकर उन्हें लेने आ गए थे। ''साहब, बहुत मच्छर हैं,'' एक ने कहा। बात सही थी, नौकरों के पास मालिकों जैसे कपड़े नहीं होते थे। सब उठ बैठते हैं। शर्मा चिन्तित होते है कि बहन जब पूछेगी कि आज क्या बातचीत हुई, तो क्या जवाब देगें। बूटा ने जो कहा, वह तो उसे बताया नहीं जा सकता। बेग के दिमाग़ में भी यही बात है। वह लौंडेबाज़ी और रण्डीबाज़ी के बारे में बूटा की राय नहीं बता सकते। यह बताया तो बेगम एकदम फट पड़ेगी। ''तुम्हें गन्दी बातें छोड़कर कुछ और बात करने के लिए नहीं मिलती?'' बेग और शर्मा दोनों को अपनी औरतें शान्त रखने के लिए कुछ ज़रूर सोचना पड़ेगा। सिर्फ बूटा ही खुश हैं। वे इन्हीं विचारों पर पॉलिश चढ़ाएँगे और अपने कॉलम में लिख देंगे। वे अपने पाठकों को उत्तेजित करना पसन्द करते हैं, जिससे वे सम्पादकों को पत्र लिखें—दोहरा प्रचार मिलता है इससे।

~

जुलाई के दस दिन बीत चुके हैं लेकिन मानसून का कहीं अता-पता नहीं है। शायद यह सावन के पहले दिन आएगा जो 16 तारीख को पड़ता है। हमारा विश्वास है कि रोमन केलेण्डर की अपेक्षा विक्रमी केलेण्डर मौसमों के ज्यादा करीब है। सावन आता तो है लेकिन दग़ा देता है। पाँच दिन बाद बूँदें पड़ती हैं। हमारी उम्मीदें जाग जाती हैं। लड़कियाँ पेड़ों पर झूले डालती हैं, अपने प्रेमियों से मिलने के गाने गाती हैं। लड़के छतों पर चढ़कर पतंग उड़ाते हैं।

~

महीने के आखिरी दिन शर्मा नहीं आते। बेग बूटा से पूछते हैं, "पण्डित जी को क्या हुआ? ठीक तो हैं?"

"कुछ हुआ नहीं है उन्हें," बूटा उत्तर देते हैं। "सवेरे उनका फोन आया था। उन्हें श्राद्ध, हवन और शोक-सभाओं में जाना पसन्द है। यह सब वे मुझे बताते नहीं, क्योंकि मैं उन्हें अंधविश्वासी न मान लूँ। मेरा ख्याल है, ऐसे ही किसी कार्यक्रम में गए हैं।"

शर्मा की अनुपस्थिति से बूटा को बेग की ज़िन्दगी के बारे में ज़्यादा जानने का अवसर मिल जाता है। वे कहते हैं, "तुमने तो मेरी ज़िन्दगी के हर गन्दे-से-गन्दे काम के बारे में विस्तार से सब कुछ जान लिया, अब तुम्हें चाहिए कि ऐसी ही अपनी किसी घटना के बारे में बताओ। ठीक बात है न?"

बेग इस पर थोड़ी देर सोचते हैं। फिर कहते हैं, "अच्छा होगा, तुम मुझसे पूछो ही मत! मैंने कुछ ऐसा किया है जिसके लिए मैं बहुत शर्मिंदा महसूस करता हूँ। अगर किसी को पता चल गया तो मेरा मुँह हमेशा के लिए काला हो जाएगा। और अगर मेरी बेगम को पता चल गया तो वह मुझसे कभी बात नहीं करेंगी, तलाक़ भी माँग सकती हैं।"

बूटा की उत्सुकता बढ़ती जाती है। "मैं तुम्हारी किसी हत्या के बारे में जानना नहीं चाहता, जो तुमने कभी की होगी। मैं तो किसी अनोखी सेक्स घटना के बारे में ही जानना चाहता हूँ। मैं वादा करता हूँ कि उसे अपने तक ही रखूँगा," वे बेग को विश्वास दिलाते हैं। फिर वह छाती पर अपना दायां हाथ रखकर कहते हैं, "मेरी जबान कटकर गिर जाए अगर मैं बेग साहब की बात किसी को बताऊँ।"

बेग अपना सिर पीछे करके आँखें बन्द कर लेते हैं। फिर कहते हैं, "कहानी यह है। मेरे वालिद के एक कज़िन हैं जो उनसे कुछ साल छोटे हैं। बरेली के पास उनकी सैकड़ों एकड़ ज़मीन है। मेरी माँ की कज़िन के साथ उनकी शादी हुई है, जो उनसे और मेरी माँ से बहुत छोटी हैं। उनके कोई बच्चा नहीं हुआ और वे मुझे ही गोद लिए बच्चे की तरह

मानते रहे। उन्हें शिकार बहुत पसन्द था। सर्दी के मौसम में वे बड़े तड़के ही निकल जाते और झीलों में बत्तखें मारते फिरते। जब सूरज निकल आता तब वे पक्षी मारते घूमते। दोपहर के खाने के बाद वे हिरनों के पीछे पड़ जाते। फिर शाम देर से घर लौटते और उनकी जीप पशु-पक्षियों से भरी होती। मैं सर्दी के दिन उन्हीं के साथ गुज़ारता और अक्सर उनके साथ शिकार पर चला जाता। मैं उनके घर में बहुत मज़े करता और उसे अपना ही घर समझता था। हर रात मेरी मौसी मेरे लिए दूध से भरा गिलास लाती जिसमें ढेर सारे मेवे पड़े होते थे। बहुत ज़ायकेदार होता था दूध। इससे भी ज़्यादा ज़ायकेदार था जाने से पहले उसका मेरे माथे को चूमना और ऐसा करते हुए उसकी छातियाँ मेरी नाक को छूने लगतीं। कई रातों को वे दो-तीन बार चूमतीं और मुझे उनकी मुलायम छातियों का सुख मिलता। इससे मेरे मन में वैसे ख्याल आने लगे। मैंने बड़ी कोशिश की कि इन ख्यालों को अपने मन से निकाल दूँ। आखिरकार वे मेरी मौसी थीं और मुझे 'बेटा' कहकर पुकारती थीं।

''भाग्य मेरे खिलाफ़ साजिश रच रहा था। एक दफ़ा मैं वहाँ गया तो मेरे चाचा शिकार पर जा चुके थे–काफी दूर किसी जंगल में। मैं उनके साथ नहीं गया था। पहली ही रात मौसी दूध का गिलास मेरे लिए लेकर आई, तो उसने कमरे का दरवाज़ा भीतर से बन्द कर लिया। पहले उसने मेरा माथा चूमा, फिर ओंठ चूमे। मैं उत्तेजना से पागल हो उठा। मैंने उसे बिस्तर में खींच लिया। मैं उस वक्त चौदह साल का था और औरत से मेरा कभी साबका नहीं पड़ा था। उस दिन मैंने छह दफ़ा उसके साथ संभोग किया होगा, और हर दफ़ा पहले से ज़्यादा देर तक। सवेरा होने तक हम इसी में लगे रहे। फिर देर से मैं सोकर उठा, गर्म पानी से नहाया और कुछ नाश्ता किया। फिर धूप का मज़ा लेने बाग़ में चला गया। उसने मुझसे पूछा कि नींद कैसी आई। मैंने अंग्रेज़ी में जवाब दिया, ''लाइक ए लॉग।'' उसने मुझे सलाह दी, ''लंच के बाद और सो लेना। इसकी ज़रूरत पड़ेगी।'' मैं समझ रहा था कि उसके दिमाग़ में क्या है।

अगली दो रातें हमने यही सब करते हुए बिताईं और यह नहीं सोचा कि इसका नतीजा क्या होगा।

''चाचा शिकार से लौट आए तो मैं एक हफ्ते बरेली और रुका रहा। वे अपनी सफलता से बहुत खुश थे क्योंकि वे हिरन, जंगली सुअर और ढेर सारे पक्षी मारकर लाए थे। हर वक्त वे यही बातें करते रहते थे। फिर मैं दिल्ली लौट आया और स्कूल पढ़ने चला गया। करीब दो महीने बाद बरेली के इन चाचा ने मेरे वालिद को लिखा कि अच्छी ख़बर यह है कि आठ साल की शादी के बाद उनकी बीवी हामला है। मेरे माँ-बाप यह खबर पाकर बहुत खुश हुए। ज़मीन-जायदाद बहुत थी, जिसके लिए अब एक वारिस पैदा हो रहा था। सात महीने बाद मेरी बरेली वाली मौसी बच्चा जनने के लिए दिल्ली अपने माँ-बाप के पास आई। लड़का हुआ। हमारे फैले हुए परिवार में ज़बरदस्त खुशियाँ मनाई गई। अब बूटा सिंह जी, आप ध्यान से सुनिए अगर आपने इस कहानी का एक भी शब्द किसी को बताया, तो आपकी जान की खैर नहीं रहेगी।''

''बेग साहब फिक्र न करें। मैं अपना वादा नहीं तोड़ूँगा। लेकिन, यह बात भी सच है कि बहुत से लोगों की सेक्स की ज़िन्दगी उनकी चाचियों, चचेरी बहनों और नौकरानियों के साथ शुरू होती है। यह कोई खास बात नहीं है। लेकिन एक बात बताइए—आप इस हरामज़ादे को क्या कहते हैं, 'छोटा भाई' या 'बेटा'?''

~

तो एक-दो मामूली बौछारों के बाद जुलाई खत्म हो गई और लोग सूखा तथा अकाल पड़ने की बातें करने लगे। इस डर को हवा देने के लिए 22 जुलाई को सूर्य ग्रहण लगा। इतना लम्बा सूर्य ग्रहण आज तक लोगों ने नहीं देखा था, और देश के कुछ भागों में तो एकदम अँधेरा छा गया।

हमारे जैसे देश में, जहाँ की 99 प्रतिशत जनता, जिसमें उसकी महिला राष्ट्रपति, सरकार के अधिकांश मन्त्री और राज्यों के मुख्यमन्त्री भी ज्योतिष में विश्वास करते हैं, यह देश भर में, हिमालय से कन्याकुमारी तक, सर्वत्र उदासी फैला देने के लिए पर्याप्त था।

शर्मा और बूटा जिन विषयों पर सहमत नहीं होते और बहस करते हैं, तो बेग को बहुत मज़ा आता है। उसे विश्वास है कि 22 जुलाई को जब दोनों शाम को मिलेंगे, तब सूर्य-ग्रहण पर बहस अवश्य होगी। बेग मामूली ढंग से विषय को उठाते हैं और कहते हैं, "शर्मा जी, आप तो ज्योतिष के बारे में बहुत कुछ जानते होंगे, क्या ख्याल है आपका, इस पूरे ग्रहण का नतीजा देश के लिए बहुत बुरा होगा?"

शर्मा जी अपने विचार व्यक्त करते हैं, "ज्योतिष विज्ञान है जिसका अध्ययन सबसे पहले प्राचीन भारत में हुआ। वे लोग सूंर्य, चन्द्र और सितारों की गति और सूर्य तथा चन्द्र ग्रहण के बारे में सब कुछ जानते थे। इससे बाद में फलित ज्योतिष का विकास हुआ।"

जैसी आशा थी, बूटा ने इस वक्तव्य में आग लगा दी। "फलित ज्योतिष विज्ञान नहीं है। यह सब गड़बड़ घोटाला है। मूर्ख ही इसमें विश्वास करते हैं। दुर्भाग्य से हमारे देश में मूर्खों की कमी नहीं है। ज़्यादातर हिन्दू जन्म के समय अपनी जन्मपत्रियाँ बनवाते हैं। फिर इन्हें सँभालकर रखते हैं और समय-समय पर उन्हें देखते और इनसे मार्गदर्शन लेते हैं। पण्डितों से इन्हें पढ़वाते हैं। ये सब सामान्य बातें होती हैं, और कई दफा निरर्थक और गलत भी होती हैं। फिर एक भृगु संहिता है जिसके बारे में कहा जाता है कि उसमें दुनिया के हर आदमी की कुण्डलियाँ हैं। और समय-समय पर अपने उद्देश्यों की पूर्ति के लिए भविष्यवाणियाँ की जाती हैं। और भी इस तरह की बहुत सी बातें हैं। इस देश में भाग्य बताने वालों, हाथ देखने वालों वगैरह का बोलबाला है। हर अखबार में एक कॉलम होता है—सितारे क्या कहते हैं, मेष, वृष, सिंह, मकर इत्यादि, इत्यादि। लेकिन

इस सब में बिल्कुल कुछ नहीं है। बेग साहब, अगर मेरे वश में होता, तो मैं सब ज्योतिषियों, हाथ देखने वालों, वास्तु विशेषज्ञों, टैरो कार्ड पढ़ने वालों वगैरह को जेलों में बन्द कर देता।''

''बूटा सिंह, शान्त हो जाओ,'' शर्मा ने कहा। ''और ऐसे विषयों पर फैसले मत दो जिनके बारे में तुम कुछ नहीं जानते। ज्योतिष के बारे में तुम क्या जानते हो, ज़रा बताओ।''

''कुछ नहीं जानता, क्योंकि जानने को कुछ है ही नहीं,'' बूटा सिंह ने रद्दा कसा। ''लेकिन तुम तो सब जानने वाले हो। 1963 की अष्ट-ग्रही की याद है, जब आठ ग्रह एक साथ मिल गए थे। सब ज्योतिषियों ने कहा था कि अब दुनिया खत्म हो जाएगी। यह संकट दूर करने के लिए अंधविश्वासियों ने बड़े-बड़े हवन किए जिसमें सैकड़ों करोड़ रुपये स्वाहा कर दिए गए। टनों शुद्ध घी जलाया गया। रेलें खाली चलीं, हवाई जहाज़ खाली उड़े और बाबू लोग दफ्तर नहीं गए। ज़िन्दगी जहाँ थी, वहीं ठहर गई। लेकिन हुआ क्या? कुछ भी नहीं। बिल्कुल कुछ नहीं हुआ। सिर्फ दुनिया भर के लोग हमारे ऊपर हँसते रहे। शर्मा जी, मुझे बताइए, क्या मैं गलत कह रहा हूँ?''

''मुझे विस्तार की बातें याद नहीं हैं,'' शर्मा ने कहा, ''लेकिन मैं अपना काम करता रहा। दफ्तरों में हाज़िरी कम थी, फिर भी कुछ लोग काम करते रहे।''

बूटा ने फिर अपना हमला शुरू कर दिया—''और आप शुभकाल और अशुभकाल—राहुकाल के बारे में क्या सोचते हैं, जब शनि कुछ अशुभ करने को तैयार रहता है? जब तक राहुकाल समाप्त न हो जाए, लोग दफ्तर नहीं आते। जयललिता ने, जो अंधविश्वासों की खान है, अपने नाम को शुभ बनाने के लिए उसकी स्पेलिंग में एक और 'ए' जोड़ दिया है। और लेखिका शोभा डे ने भी, जो एक विवाह का समर्थन करती है लेकिन खुद तीन विवाह किए हैं, अपना भाग्य चमकाने के लिए अपने

नाम में एक और 'ए' जोड़ दिया है। बेग, तुम्हें ये सब बातें कैसी लगती हैं?"

बेग शान्ति स्थापित करने की कोशिश करता है। "भाई बूटा, हम सब कुछ अंधविश्वासों को मानते हैं। हिन्दू अकेले नहीं मानते। तुम्हारे भी कुछ अंधविश्वास होंगे। हम मुसलमान कुंडलियाँ नहीं बनवाते, लेकिन हमारे भी ज्योतिषी और नजूमी होते हैं। कुछ इनमें विश्वास करते हैं, कुछ नहीं करते।"

ज्योतिष और भविष्य कथन पर बहस अपूर्ण बनी रही।

8
अगस्त खाली दिन

अगस्त चातुर्मास के नाम से परिचित उन चार महीनों में एक है जिसकी शुरुआत गुरुपूरब के जुलाई में पड़ने वाले पूर्ण चन्द्र से होती है, और अन्त दिवाली के बाद की पूर्ण चन्द्रवाली रात को होता है। इन तीन महीनों में भगवान विष्णु, जो सृष्टि के पालनकर्ता हैं, समुद्र के भीतर सोने चले जाते हैं। इसे प्रलय कहते हैं। इन दिनों कोई शुभ कार्य नहीं किया जाता। चातुर्मास के दिनों में हिन्दुओं में कोई शादी नहीं होती।

अगस्त में बारिश का ज़ोर होता है। आसमान में बादल घिरे रहते हैं और हर एक-दो दिन बाद बरसात होती है। कई दफा तीन-चार दिन लगातार बारिश होती रहती है। यह वह समय है जब कीचड़ से भरे गड्ढों या ठहरे हुए पानी में रहने वाले मेंढ़कों की बन आती है और उनकी आवाज़ें सुनाई देने लगती हैं। पशु-पक्षियों की जितनी भी तरह की आवाज़ें होती हैं, उनमें मेंढ़क की आवाज़ ही ऐसी है जिसे शब्दों में व्यक्त करना बहुत मुश्किल काम है। ग्रीक कवि एरिस्टोफेनिस ने अपने नाटक 'दि फ्रॉग्स' में इसे शायद सबसे सही ढंग से व्यक्त किया है—ब्रेक-एक-एक, कोअक्स, कोअक्स, ब्रेक-एक-एक-कोअक्स।

अगस्त 2009 भिन्न था। पहले हफ्ते में पानी की एक बूँद नहीं गिरी, न मेंढकों की आवाज़ कहीं सुनाई पड़ी। बादल आए और निकल गए, हवा में नमी बनी रही, वायुमण्डल की घुटन ज्यों-की-त्यों रही। लोगों की तकलीफें बढ़ाने के लिए मच्छर, मक्खी और काक्रोचों की तादाद बढ़ती गई। दिल्ली की जीवनरेखा, यमुना नदी, अगस्त में अपने तट बन्ध तोड़ देती है और जैसे समुद्र ही बन जाती है। यह त्रियमा का अपना पूर्व अवतार धारण कर लेती है, यानी मृत्यु के देवता यम की बहन, अपनी बाढ़ में गाँव के गाँव और उनके साथ मनुष्य और पशु बहा ले जाती है। इस साल अगस्त के पहले सप्ताह में पानी बढ़ना शुरू हुआ, जो अपने साथ दिल्ली वालों की साल भर तक इकट्ठी गन्द साथ बहाकर ले गया। अगर आपको मुझ पर विश्वास न हो तो ओखला चले जाइए जहाँ एक बराज है और बहुत सा पानी इकट्ठा होता है, जिसमें से कुछ नहर बनकर आगे सिंचाई करने चला जाता है। कभी यह पिकनिक की शानदार जगह हुआ करती थी, अब मनुष्य के मल की गन्ध से सारा वातावरण दूषित है।

एक-दो बारिश होने के बाद दिल्ली की कठिनाइयाँ बढ़ जाती हैं। कीड़े-मकोड़े और सांप अपने छेदों से बाहर निकल पड़ते हैं। उनके काटने से कुछ लोग मर जाते हैं। चूहे बड़ी तादाद में घरों पर हमला बोल देते हैं क्योंकि उनके पास जाने का कहीं स्थान नहीं होता। मलेरिया और डेंगू फैलने लगते हैं। वायुमण्डल का परिवर्तन भी बहुतों को प्रभावित करता है, जिनमें बूटा सिंह भी एक हैं। हर बार मौसम बदलने पर जुकाम-खाँसी शुरू हो जाते हैं, बुखार आने लगता है और वे बिस्तर पर पड़ जाते हैं। वे विटामिन सी की गोलियाँ, कफ़ सीरप और दूसरी दवाएँ लेते रहते हैं, फिर भी उनका गला बन्द हो जाता है। उन्हें इन परेशानियों से निजात पाने में हफ्ता दस दिन लग जाते हैं।

इन दिनों में न तो वे अपने फ्लैट से बाहर निकल पाते हैं, न टेलीफोन पर ही किसी से ढंग से बात कर पाते हैं। उनके मुँह में गोल्फ की गेंद

जितना बड़ा कफ़ का गोला अटका रहता है और जब भी वे मुँह खोलते हैं, दर्द करता है। वे अपने नौकर पर कुड़कुड़ाते रहते हैं और दर्द सहते कुर्सी पर बैठे रहते हैं। उनके डॉक्टर को, जिनका क्लिनिक पड़ोस में ही है, सूचना दी जाती है कि बूटा सख्त खाँसी और जुकाम से परेशान हैं। आधे घण्टे बाद डॉक्टर आता है, वह अपनी नाक और मुख पर सफेद कपड़े का मास्क लगाए है जिससे कीटाणुओं से बचा रह सके। वह बूटा की नब्ज़ देखता है, उनके सीने पर स्टेथास्कोप रखकर चारों तरफ घुमा-फिराकर जाँच करता है, ब्लड प्रेशर लेता है, खून का नमूना इकट्ठा करता है और पूछता है कि पेट साफ़ हुआ या नहीं, बूटा सिर हिलाते हैं।

''बलगम निकलता है? उसका रंग क्या है?'' डॉक्टर पूछता है।

''पीला।''

डॉक्टर अपना पैड निकालता है और उस पर वे गोलियाँ लिख देता है जो उन्हें दिन में तीन दफ़ा लेनी हैं। यह रोज़ का मामला है। हर दफ़ा एक या दो नई गोली जुड़ जाती है। बूटा गोलियाँ खा-खाकर थक गए हैं; सवेरे उठते ही ढाई गोलियाँ, आठ नाश्ते से पहले और नौ रात को सोने से पहले। इस तरह कुल उन्नीस गोलियाँ, इनमें तीन और मिलाकर साढ़े बाईस। डॉक्टर उन्हें विश्वास दिलाता है, ''ये गोलियाँ दवा नहीं हैं, सेहत ठीक रखने के लिए हैं। इस उम्र में आपको कोई खतरा मोल नहीं लेना चाहिए। अगर बलगम पीला आने लगे, तो मुझे फौरन बुला लेना। मैं नहीं चाहता, आपको निमोनिया हो जाए। तब अस्पताल में भर्ती करना पड़ेगा। बस, ये गोलियाँ दिन में तीन दफ़ा लें और वाहे गुरु की कृपा से दो दिन में ठीक हो जाएँगे।'' गोलियाँ देते समय डॉक्टर हमेशा वाहे गुरु का नाम लेता है।

अस्पताल जाने की बात सुनकर बूटा सिंह डर जाते हैं। पलंग पर लेटे-लेटे टट्टी करने और नर्स द्वारा सफाई किए जाने से वे घर के बिस्तर

पर मर जाना ही पसन्द करेंगे। अगली दफा जब डॉक्टर अस्पताल की बात करेगा तो वे नौकर को केमिस्ट की दुकान पर भेजकर सायनाइड की गोली मँगवाकर खा लेंगे।

~

दो शामों से बूटा सनसेट क्लब नहीं पहुँचे हैं। बेग शर्मा से पूछते हैं, "बूटा को क्या हो गया है, शर्मा जी? उनके बिना बिल्कुल मज़ा नहीं आता। आप उनके पास ही रहते हैं। जाकर पता तो लगाइए।"

"मैंने सवेरे उनका नम्बर मिलाया था, लेकिन किसी ने फोन नहीं उठाया। शाम को घर लौटते हुए जाऊँगा," उन्होंने कहा।

वे शाम को जाते हैं। वे पीछे नौकरों की तरफ के दरवाज़े से भीतर जाते हैं, डब्बू तीन उनके साथ है। वे देखते हैं कि बूटा अपनी कुर्सी में आँखें बन्द किए पड़े हैं और उनकी नाक पर रूमाल बँधा है। बगल की मेज़ पर गर्म पानी में मिली एक गिलास रम, लेमन जूस और शहद रखा है।

"ओए बुड्ढे, तुझे यह क्या हो गया?"

बूटा अपना सिर हिलाते हैं, गले की तरफ़ इशारा करते हैं और कुड़कुड़ाते हैं। "गला, सर्दी, खाँसी।"

"डॉक्टर को बुलाया?" शर्मा पूछते हैं।

"हाँ," बूटा जवाब देते हैं।

"बेग पूछ रहे थे तुम्हारे बारे में। मैं बता दूँगा," शर्मा कहते हैं।

यह कहकर वे तेज़ी से लौट पड़ते हैं। बूटा पुराने दोस्त हो सकते हैं, लेकिन इस कारण खुद भी सर्दी मोल ले ली जाए, यह नहीं हो सकता।

~

बूटा जब तक अपने बिस्तर पर लड़खड़ाते हुए पहुँचते हैं, वे काफी नशा कर चुके हैं। उन्हें रम पीने की आदत नहीं है। और शहद के साथ तीन बड़े पेग उनकी क्षमता से ज़्यादा हैं।

~

उनकी नाक जम गई है, मुँह खुला पड़ा है और वे पिछले उस समय की याद करने की कोशिश कर रहे हैं, जब उन पर ऐसी ही भयंकर सर्दी और खाँसी का दौरा पड़ा था। यह चालीस साल पहले की बात है। वे पेरिस से घण्टे भर की यात्रा की दूरी पर एक छोटे-से कॉटेज में ठहरे हुए थे। वे उपन्यास लिखने की ज़बरदस्त कोशिश में लगे थे। जो विधवा कॉटेज की मालकिन थी, वह पेरिस में उन्हीं के दफ्तर में काम करती थी और सप्ताहांत में अपनी नब्बे साल की बूढ़ी माँ को देखने आती थी। उसने एक जर्मन लड़की रखी हुई थी जो उसकी माँ को खाना खिलाती थी और उसके रात के बर्तन साफ करती थी। एक पार्ट-टाइम माली भी था जो लॉन की घास काटता था और सेब तथा नाशपाती के पेड़ों की देखभाल करता था। जर्मन लड़की का कमरा बुढ़िया के कमरे की बगल में था। बूटा का कमरा नीचे ही था और महिला की टेरियर कुतिया उसके साथ रहती थी।

जर्मन लड़की के साथ उनकी अच्छी बनती थी; वह उनसे कुछ इंच लम्बी थी, सुनहरे बाल, नीली आँखें और भरी हुई छातियाँ। सवेरे बुढ़िया को टॉयलेट कराकर, नाश्ता खिलाकर और फिर से चारपाई पर आराम से लिटाकर लड़की बगीचे में उसके पास आकर बैठ जाती थी, जहाँ वह उपन्यास लिखने की भरसक कोशिश में लगे रहते थे और टेरियर कुतिया उनकी कुर्सी के पास बैठी उन्हें देखती रहती थी। लड़की अंग्रेज़ी और फ्रेंच अच्छी तरह बोल लेती थी। माली उसकी तरफ आकृष्ट था और

उसे इस ठोड़ी पर छोटी-सी दाढ़ी और सिर पर पगड़ी वाले अजीब से लगने वाले एशियाई से मेलजोल अच्छा नहीं लगता था।

तभी बूटा को सर्दी लग गई। जर्मन लड़की के लिए उनके कमरे में आकर उनके स्वास्थ्य के बारे में पूछताछ करने का यह अच्छा बहाना था। तीसरे दिन उनकी बहती हुई नाक एकदम बन्द हो गई। वह दिन-रात खाँसते और बलगम फेंकते रहें। चौथे दिन जर्मन लड़की उन्हें देखने आई और उसने उन्हें चूम लिया। कितनी तकलीफ है तुम्हें! इससे कुछ आराम मिलेगा।'' वह बोली।

बूटा ने चेतावनी दी कि उसे भी सर्दी लग जाएगी। ''मैं परवाह नहीं करती,'' वह बोली। ''मुझे कभी ठण्ड नहीं लगती।'' शाम को वह दोनों का डिनर लेकर कमरे में आई और साथ बैठकर खाया। रात को फिर आकर जर्मन में कहा, ''गुडनाइट! जल्दी ठीक हो जाओ।''

गुडनाइट बोलने के बाद वह उन्हीं के साथ बिस्तर पर लेट गई। दोनों ने संभोग किया। दूसरे दिन बूटा का सर्दी-जुकाम ठीक हो गया, लेकिन जर्मन लड़की छींकने लगी।

~

दूसरी शाम शर्मा ने बेग से कहा कि ''बूटा को तो जुकाम लगा ही रहता है। वह पीता बहुत है–ह्विस्की, रम, वोडका, जिन, फेनी, जो भी मिल जाए। और पेट हमेशा खराब ही रहता है। यह तो मुसीबत की जड़ है, है न?''

लेकिन बेग को उनसे सहानुभूति है। ''बदहज़मी और जुकाम दोनों ठीक हो सकते हैं। यूनानी में इनके लिए अच्छी दवाएँ हैं। मैं नौकर के हाथ भिजवा दूँगा।''

घर लौटकर बेग ने अपनी बेगम को बूटा के बारे में बताया। ''उनके

बिना तो मज़ा ही नहीं आता। शर्मा ज़रा ज़्यादा गम्भीर है, बूटा हर बात में जान डाल देता है। मैं उसे यूनानी दवाएँ भेजूँगा।"

"मैं यख्नी का शोरबा और क्वारगंडल का हलवा बना दूँगी। दोनों खाँसी-जुकाम और दूसरी चीज़ों के लिए मुफ़ीद हैं," बेगम ने कहा।

दूसरे दिन सवेरे बेग का नौकर दवाएँ, शोरबा और हलवा लेकर बूटा के यहाँ जाता है और किस वक्त इन्हें लिया जाए, यह बताता है। बूटा नौकर से कहते हैं कि मालिक और मालकिन को मेरा शुक्रिया अदा करना।

बूटा अपनी रोज़ाना की दवाओं और खाने-पीने में बेग की चीज़ें भी शामिल कर लेते हैं। छठे दिन वे ठीक होने लगते हैं। अब वे आसानी से साँस ले सकते हैं, दिन में दो बार पाखाने जाते हैं और ह्विस्की गले से नीचे उतर कर पेट तक जाती हुई महसूस करते हैं। अब उनको लगता है कि सब ठीक हो गया। वे तय नहीं कर पाते कि धन्यवाद किसे दें—साढ़े बाईस गोलियाँ रोज़ देने के लिए डॉक्टर और वाहे गुरु को, या बेग और उनकी बीवी को या शायद किसी को भी नहीं। जुकाम अपना वक्त पूरा करके खत्म हो गया है और मौसम बदलने पर दोबारा वापस लौट आएगा।

9
गर्मी के बाद शरद

सितम्बर के पहले दिनों में सनसेट क्लब की मीटिंग नहीं होती, क्योंकि बरसात ने अगस्त की जगह एक महीने बाद आने का फैसला कर लिया। पहले चार दिन तक लगातार झड़ी लगी रहती है और दो दिन के बाद तूफान आता है लेकिन बारिश नहीं होती। हफ्ते भर बाद दो दिन लगातार मूसलाधार वर्षा होती है, जिसके बाद एक दिन हल्की बूँदाबाँदी। तीनों दोस्तों का दैनिक रोज़नामचा बदलता है। शर्मा इण्डिया इण्टरनेशनल सेंटर में ज़्यादा घण्टे बिताते हैं। सवेरे का समय लायब्रेरी में अखबार और पत्र-पत्रिकाएँ उलट-पुलट करके बिताते हैं। फिर कॉफ़ी पीते हैं और परिचितों के साथ लम्बी बातचीत करते हैं। फिर हल्का दक्षिण भारतीय भोजन करते हैं और नींद लेने घर लौट आते हैं।

बूटा गाड़ी निकालकर पेड़, पक्षी और यमुना की सैर करने निकल पड़ते हैं। उनके घर की बाहरी दीवार पर मधु मालती फूल रही है। फ्लैट के सामने के मैदान में लगे कोरिसिया के पेड़ में फूल खिलने शुरू हो गए हैं। लॉन में या तो पानी भरा है या वह ओस से भीगा है। वे यमुना के दाहिने किनारे निगम बोध श्मशान घाट तक गाड़ी ले जाते हैं। टीन

की छतों के नीचे तीन लाशें जल रही हैं और उनके परिजन चारों ओर खड़े हैं। यमुना पिघलती बर्फ और मानसून की बारिश के कारण उफान पर है। बूटा आधे घण्टे तक पानी में इस द्वन्द्व को देखते हैं, फिर बियर और एग सेंडविच का नाश्ता करने के लिए समय से घर लौट आते हैं।

बेग के परिवार में होने वाला परिवर्तन ज़्यादा क्रान्तिकारी है। रोज़े और रात के समय खाने-पीने का महीना, रमज़ान, हालांकि अगस्त में शुरू हो गया था, लेकिन वह तीन हफ्ते सितम्बर में भी चलेगा। बेगम साहिबा और उनके नौकर बहुत सवेरे उठकर खाना बनाने में लग जाते हैं, क्योंकि सूरज निकलने से पहले ही वे कुछ खा-पी सकते हैं, बाद में शाम को सूरज डूबने तक वे कुछ नहीं खा सकते। बच्चों पर ये कायदे ज़रूर लागू नहीं होते। नवाब साहब भी इससे बरी हैं। इसलिए बाकी सब लोग सवेरे ही ठूँस-ठूँस कर खा लेते हैं जिससे दिन भर रोज़े रख सकें। बेग रोज़ाना के अपने हिसाब से सवेरे उठते हैं, चाय और सिगार पीते हैं, लंच के साथ ह्विस्की और रात को डिनर लेते हैं। साल-दर-साल वे गालिब के ये शब्द दोहराते हैं—शायर से किसी ने पूछा कि कितने दिन उन्होंने रोज़ा नहीं रखा, तो उन्होंने जवाब दिया, ''एक दिन भी नहीं।'' इसका मतलब यह भी हो सकता था कि उन्होंने एक दिन भी खाना नहीं खाया और यह भी हो सकता था कि रोज़ खाना खाया। यह मज़ाक सुनाकर वे हँसते हैं। दूसरे भी हँसते हैं जैसे वे पहली दफा इसे सुन रहे हों।

~

शर्मा बेग पर चोट किए बिना नहीं रह सकते। ''बेग, यह सवेरे सूरज निकलने से पहले पेट भरकर खाना, दिन भर कोई काम न करना और फिर शाम को सूरज डूबने के बाद ठूँस-ठूँसकर खाना, रोज़े रखने का क्या यही ढंग है? इससे सेहत खराब होती है। हम हिन्दुओं के व्रत इससे कहीं अच्छे हैं—हम रोज़मर्रा के बहुत से भारी खाने एकदम छोड़ देते हैं और

ढेर सारा पानी पीते हैं। इससे बदन की सफाई हो जाती है। क्या कहते हो?"

"तुम्हारा कहना ठीक हो सकता है। इसीलिए मैं साल के दूसरे महीनों की ही तरह रमज़ान महीना मानता हूँ," उनका जवाब है।

बूटा यह सुनकर खुश होते हैं। "तुम हिन्दू और मुसलमान दोनों गलत हो। हम सिख व्रत-उपवास में यकीन ही नहीं करते—खाने-पीने में ही करते हैं।"

सब हँसते हैं। शर्मा आगे की बात कहते हैं, "और ये इफ़्तार पार्टियाँ? बहुत से हिन्दू और सिख नेता इफ़्तार पार्टियाँ करते हैं, थोड़े से मुसलमानों को उनमें बुला लेते हैं। पत्रकारों को भी बुलाते हैं जिनसे राजनीतिक फायदे उठाए जा सकें। यह तो बहुत बेईमानी है। क्या ख्याल है?"

"मैं मानता हूँ," बेग कहते हैं। "मुझे भी अक्सर बुलाया जाता है। लेकिन मैं कहीं नहीं जाता।"

~

बेमौसम बारिश का चारों तरफ़ असर पड़ा है। महीने के दूसरे दिन, आन्ध्र प्रदेश के मुख्यमन्त्री को उड़ा रहा एक हेलिकाप्टर एक घने जंगल में गिर पड़ता है और उसमें सवार सब लोग मारे जाते हैं। उस दिन के सब राष्ट्रीय अखबारों के मुख पृष्ठ पर यह खबर छपी है, जिसे बूटा पढ़ते हैं। हालाँकि उनकी जानकारी कम नहीं है, उन्हें यह नहीं पता कि स्वर्गीय मुख्यमन्त्री और उनका परिवार ईसाई हैं। शर्मा भी यह खबर इण्डिया इण्टरनेशनल सेंटर की लायब्रेरी में पढ़ते हैं और अपने मित्रों से पूछते हैं, "तुम जानते थे कि ये लोग ईसाई हैं?" बेग की बेगम भी यह खबर पढ़कर अपने शौहर से कहती हैं, "एक वक्त में यह राज्य हैदराबाद के निज़ाम के कब्ज़े में था। इसके शासक और बड़े लोग सब मुसलमान थे—जंग, जाह और दौला। सब उर्दू बोलते थे। फिर इस पर हिन्दुओं ने कब्ज़ा कर लिया

और लोग तेलुगु बोलने लगे। इसके बाद ईसाइयों का वक्त आया है और अब उनका राज है। जानू, तुम जानते थे कि मुख्यमन्त्री ईसाई थे?"

"अच्छा?" बेग ने सवाल किया। "राज्य में ज़्यादा ईसाई नहीं होने चाहिए। दुनिया कितनी बदल जाती है!"

"ज़्यादा नहीं। अब रेड्डी के बेटे ने घोषणा कर दी है कि वह राज्य का उत्तराधिकारी है और असेम्बली के ज़्यादातर सदस्यों ने उसके समर्थन का वादा किया है। उन्हें यकीन है कि सोनिया गाँधी, जो मुल्क की असली शासिका है और ईसाई है, उसका समर्थन करेगी। दुनिया का यह ढंग है," बेगम ने जवाब दिया।

"देखते हैं!"

~

मौसम ज़िन्दगी को बिगाड़ने वाला ही साबित हो रहा है। अगर पानी बरसता नहीं, तो बरसने की धमकी ज़रूर देता है। 10, 11 और 12 तारीखों को पानी रात-दिन रुक-रुककर बरसता रहा। सिर्फ 15 तारीख को सूरज निकलता है और ज़मीन और हवा की नमी को सोख लेता है। अब तक आन्ध्र प्रदेश की खबर पुरानी पड़ गई है। सोनिया गाँधी स्वर्गीय मुख्यमन्त्री के नए खड़े होते बेटे और उसके अवसरवादी साथियों की इच्छा पर लगाम लगाकर हिन्दू रोज़ैया को कार्यवाहक मुख्यमन्त्री बना देती है। इन दिनों की बड़ी खबर है नॉर्मन बोरलॉग का निधन, जो हरित क्रान्ति के जनक माने जाते हैं और जिन्हें नोबेल पुरस्कार प्राप्त हुआ। वे 95 वर्ष के थे।

बेग की बेगम ने उन्हें इसके बारे में कुछ नहीं बताया क्योंकि यह नाम उनके लिए कोई मायने नहीं रखता था। शर्मा और बूटा के लिए यह एक और घटना है जिससे उन्हें हरित क्रान्ति के बारे में अपनी योग्यता दिखाने का अवसर मिलता है।

''लोंग टाइम नो सी'', बूटा जैसे ही उनसे मिले, उन्होंने अंग्रेज़ी में कहा।

''यह कैसी अंग्रेज़ी है?'' शर्मा ने पूछा।

''एकदम नई, आजकल के लड़के यही भाषा बोलते हैं। हमें वक्त के साथ चलना चाहिए। खैर, नॉर्मन बोरलॉग की मौत की खबर पढ़ी?''

''दुनिया के जिन बड़े लोगों ने धरती पर कदम रखा, उनमें से एक,'' शर्मा ने पण्डिताऊ लहज़े में कहा। ''इनका नाम सुनकर मुझे लगा कि ये कोई स्कैंडिनेवियन होंगे, लेकिन ये तो अमेरिकन निकले।''

बेग को लगा कि वे इस बातचीत से दूर होते जा रहे हैं। उन्होंने कहा, ''अरे भाई, मुझे भी तो बताओ कि ये बोरलॉग साहब थे कौन। मेरी बेगम ने तो कुछ बताया नहीं है।''

''दुनिया के बहुत बड़े आदमियों में से एक,'' शर्मा ने अपनी बात दोहराई और आसमान की तरफ उँगली दिखाकर इशारा किया।

बूटा ने बेग को ज़्यादा जानकारी दी—''मियाँ साहब, अगर बोरलॉग न होते तो हम में से बहुत से लोग भूख से मर गए होते। आप पूछेंगे कि क्यों, तो मैं उत्तर दूँगा—हमारा गेहूँ खत्म हो गया था। हम और पाकिस्तान दोनों अमेरिकी दया पर ज़िन्दा थे। तब बोरलॉग साहब, जिन्होंने मेक्सिको में एक नए किस्म के छोटे गेहूँ का प्रयोग किया था, जिसमें घुन नहीं लगती थी, 1963 में भारत आए। उनके पास नए गेहूँ के नमूने थे। उन्होंने लुधियाना एग्रीकल्चरल यूनिवर्सिटी के हमारे वैज्ञानिकों को इस गेहूँ की शिक्षा दी और कहा कि वे अपनी प्रयोगशालाएँ छोड़कर गाँवों में जाएँ और किसानों से यह गेहूँ पैदा करने को कहें। पाकिस्तान में भी उन्होंने यही किया। दस साल के भीतर दोनों देश खाने के मामले में आत्मनिर्भर हो गए—उन्होंने चावल और मक्का के भी नए नमूने तैयार किए। इसे हम हरितक्रान्ति कहते हैं! यह जैसे जादू था। वे सचमुच जादुई आदमी थे, हमारे युग के विष्णु अवतार।''

''ईश्वर उनकी आत्मा को शान्ति दे,'' बेग ने कहा, ''मैं अपनी

बेगम को उनके बारे में बताऊँगा। लेकिन अगर हम इसी तरह बच्चे पैदा करते रहेंगे–जैसे आजकल कर रहे हैं–तो हम फिर भीख का कटोरा लेकर दरवाज़े-दरवाज़े माँगते फिरेंगे।"

~

सितम्बर के आखिरी हफ्ते में मानसून खत्म हो जाती है और अब सवेरे और शाम हवा में नमी पैदा हो जाती है। यह शरद ऋतु के आगमन की सूचना है, कि अब ठण्डे दिन आने वाले हैं। कालिदास ने मानसून खत्म हो जाने के बाद के मौसम को पूर्णता की प्राप्ति के आरम्भ का मौसम बताया है।

~

विभिन्न धार्मिक सम्प्रदायों द्वारा सार्वजनिक भूमि पर कब्ज़ा करने के खिलाफ़ सुप्रीम कोर्ट ने फिर एक बार विभिन्न समुदायों की आलोचना की है। लेकिन हमेशा की तरह यह भी एक पवित्र मन्तव्य बनकर रह जाएगा और कोई भी इस पर ज़्यादा ध्यान नहीं देगा। हिन्दू और सिख समय-समय पर बाज़ारों से बड़े-बड़े जुलूस निकालते रहेंगे और जबरदस्ती दुकानों को बन्द करवाते रहेंगे। मुसलमान धार्मिक अवसरों पर सड़कों पर बैठकर नमाज़ पढ़ते रहेंगे। पीपल के पेड़ों पर लाल और पीले रंग के लेप चढ़ाए जाते रहेंगे और उनके चारों तरफ मन्दिर बनाए जाते रहेंगे। पहाड़ों की चोटियों पर नए-नए मन्दिर बनाए जाते रहेंगे, उनके इर्द-गिर्द उनके आरम्भ और पवित्रता के बारे में कथा-कहानियाँ गढ़कर प्रसारित की जाती रहेंगी, बताया जाता रहेगा कि यहाँ ये-ये चमत्कार हुए, जो अब भी हो सकते हैं, जिससे धर्म के पण्डित-पुजारियों के पेट भरते रह सकें और वे खुशी महसूस करते रहें।

इस विषय पर सनसेट क्लब के सदस्यों के विचार सबसे अलग हैं–''आप जो ठीक समझें, कीजिए, लेकिन सीमा में रहकर कीजिए।'' यह बेग का कहना है।

बूटा प्रश्न करते हैं–''यह विषय इतना महत्त्वपूर्ण क्यों हो गया कि सुप्रीम कोर्ट को इस पर अपनी राय देनी पड़ी? यह तो सरकार को फैसला करना है कि किन स्थानों पर कब्ज़ा न किया जाए। ...मैं सब तरह के धार्मिक कार्यों के लिए सार्वजनिक भूमि के ऊपर प्रतिबन्ध लगा देने का समर्थक हूँ, लेकिन जनता नकली धार्मिकता की ही ज़्यादा इज्ज़त करती है।''

10
गाँधीजी का अक्टूबर

दिल्ली में निवास के दो सबसे अच्छे महीने फरवरी और अक्टूबर हैं। फरवरी महीने में सर्दी की ठण्डक की पकड़ कम होने लगती है, आसमान नीला साफ़ निकल आता है, और खुशगवार महसूस होता है। हवा में वसंत के संकेत प्राप्त होने लगते हैं। अक्टूबर में इसका उलटा होता है। ग्रीष्म ऋतु की गर्मी और मानसून की वर्षा की नमी उड़ने लगती है। आसमान साफ़ और नीला हो जाता है, सूरज झुलसाना बन्द कर देता है और शरद की शीतल हवाएँ चलना शुरू कर देती हैं। इसलिए, साल के अन्य महीनों की अपेक्षा इन दो महीनों में लोदी गार्डन में लोगों की ज़्यादा भीड़ दिखाई देने लगती है।

अगर आप इन महीनों में लोदी गार्डन में हों, और 'बूढ़ा बिंच' पर भी बैठे हों, तो ज़रा आसमान की ओर निहारिए। आपको मौसम के परिवर्तन से जुड़ी एक निराली छवि दिखाई देगी। फरवरी में आप देखेंगे कि सफेद हंसों या बत्तखों की पंक्तियाँ, एक-दूसरे को आवाज़ लगातीं, पूर्व से पश्चिम, भारत से हिमालय की ओर अपने गर्मियों के मौसम के निवास, सेंट्रल एशिया की तरफ उड़ती चली जा रही हैं। अक्टूबर में आप

हंसों और बत्तखों के उसी झुण्ड को पश्चिम से पूर्व की तरफ, सेंट्रल एशिया से भारत के जलीय प्रदेशों, मन्दिरों और झीलों की दिशा में वापस लौटते हुए देखेंगे। कभी-कभी आप एक अकेला कोयल पक्षी कुह-कू, कुह-कू की आवाज़ें लगाता, गर्मियों के मौसम में पहाड़ियों की दिशा में उड़ता हुआ भी देखेंगे, जो अक्टूबर मास में भारत के मैदानों में अपनी सर्दियाँ बिताकर फिर वापस लौट आता है।

इन दो महीनों में दिल्ली का मौसम मोटे तौर पर लोगों की जानकारी में रहता है, देश के अन्य भागों में ऐसा नहीं होता। कर्नाटक तथा आन्ध्र में अक्टूबर 2009 मूसलाधार बारिश के साथ शुरू हुआ जिससे नदियों में बाढ़ आ गई। दिल्ली में भी 6 तारीख को हल्की बारिश हुई और दूसरे दिन आसमान में बादल छाए रहे, इस दिन करवाचौथ थी, जब हिन्दू और सिख स्त्रियाँ अपने पतियों की दीर्घायु के लिए व्रत रखती हैं। लेकिन सनसेट क्लब के सदस्यों के लिए इसका कोई मतलब नहीं था, क्योंकि शर्मा कुँवारे थे, बूटा विधुर और बेग मुसलमान।

2 अक्टूबर गाँधी जी का जन्मदिन होने के कारण छुट्टी का दिन है। इस दिन, फिर राजनेता लाइन लगाकर गाँधी समाधि पर राजघाट जाते हैं और वहाँ लगे काले संगमरमर के पत्थर पर जिस जगह गाँधी जी की दाहक्रिया सम्पन्न हुई थी, फूल-पत्तियाँ चढ़ाते हुए फोटो खिंचवाते हैं। सब लोग उनके प्रिय भजन 'वैष्णव जन तो तेणे कहिये, जे पीर पराई जाणे रे' और 'ईश्वर अल्लाह तेरे नाम' सुनते और गाते हैं। इसके बाद वे पार्क में जाकर पिकनिक मनाते और खाते-पीते हैं। इसके आस-पास रहने वालों के लिए लोदी गार्डन सबसे प्रिय स्थल है।

सनसेट क्लब हमेशा की तरह सूर्य छिपने से दो घण्टे पहले आरम्भ होता है। बेग यह कहकर बातचीत शुरू करते हैं–"आज तो बड़ी रौनक है।"

शर्मा कारण बताते हैं–"आज गाँधी जयन्ती है न! सब दफ्तर और दुकानें उनकी याद में बन्द हैं। इस धरती पर रहने वालों में वह महान से भी महान थे।"

बूटा ने टिप्पणी की, ''तुमने बोरलॉग के लिए भी यही शब्द कहे थे।''

शर्मा को इस तरह मज़ाक उड़ाया जाना पसन्द नहीं आया। उन्होंने जवाब दिया, ''दोनों अपने-अपने ढंग से महान थे। एक ने शरीर के लिए काम किया, दूसरे ने आत्मा के लिए।''

''इसका क्या मतलब हुआ,'' बूटा ने काट की।

बेग ने शान्ति स्थापित करने के लिए बीच में दखल दिया! ''आप सब मानेंगे कि वे आधुनिक भारत के मसीहा थे। उन्होंने सिर्फ अंग्रेज़ों से हमें अपनी आज़ादी ही नहीं दिलाई, देश के लिए सारी दुनिया से सम्मान भी प्राप्त किया। वे हमेशा नफरत का त्याग करने और प्रेम भाव अपनाने की शिक्षा देते रहे।''

''शर्मा जी के जात-भाई एक ब्राह्मण ने उनकी हत्या की। अगर वह उनसे नफ़रत न करता होता, तो हत्या न करता,'' बूटा ने कहा।

शर्मा हमेशा की तरह प्रतिक्रिया करते हैं, ''इस अपराध में जाति क्यों लाते हो? बहुत से महान व्यक्तियों की पागलों ने हत्या की—अब्राहम लिंकन, कैनेडी—और इन्दिरा गाँधी जिनकी बूटा के जाति भाई उनके अपने सिख पहरेदारों ने ही हत्या की।''

दोस्तों का झगड़ा निबटाने के लिए बेग ने फिर कहा, ''इन बेमानी तथ्यों का हवाला मत दो। आप मानेंगे कि गाँधी जी ने सब भारतीयों के जीवन को बहुत प्रभावित किया। बाहरी दुनिया में भारत को गाँधी जी का देश कहा जाता है। वे हमारे जीवन के आदर्श हैं। हमें उनके जीवन की नकल करनी चाहिए, ठीक है न?''

''लेकिन करता कौन है,'' बूटा ने टिप्पणी की। ''वे शराब पीने के खिलाफ़ थे और इसे संविधान में भी डलवाया। अगर उनकी बात मानी जाती तो आज हम शाम का यह मज़ा न कर रहे होते। और उनके अपने राज्य गुजरात को छोड़कर, देश में कहीं भी शराब बन्द नहीं है। और गुज्जू लोगों के वहाँ भी शराब साबरमती नदी की तरह बहती है।

और वहाँ, देश के दूसरे प्रदेशों की तुलना में, जहरीली शराब पीने से ज़्यादा लोग मरते हैं। इसी के साथ वे शाकाहारी भी थे और खाने के लिए पशुओं को मारना पाप समझते थे। फिर भी हम तीनों मांसाहारी हैं।''

शर्मा उनकी बात सही करते हैं–''वास्तव में, उनके आश्रम में चार बातों पर रोक थी–माँस, शराब, तम्बाकू और सेक्स पर।''

बेग ने कहा, ''इन सब बातों का बूटा जी विरोध करते हैं। गाँधी जी के बारे में आपको कोई और बात गलत लगती है।''

''लगती है। सेक्स के बारे में उनके विचार। अपनी बीवी से बात किए बिना उन्होंने ब्रह्मचर्य शुरू कर दिया। फिर ज़िन्दगी भर अपनी वासना को नियन्त्रित करने के लिए लड़ते रहे। औरतें उनकी मालिश करती थीं। वे अपनी दोनों तरफ जवान नंगी लड़कियाँ सुलाते थे, उन्हें एनिमा देते थे, उनके साथ नंगे नहाते थे, सिर्फ इसलिए कि उनके मन में गन्दे ख्यालात न आए। हम तीनों ने अपनी जवानी के दिनों में सेक्स किया है। इसका हमें रंज नहीं है। आज भी कर सकते तो करते। हैं न?''

''सिर्फ अपनी बात करो,'' शर्मा ने कहा, ''मैं ब्रह्मचर्य का पालन करता हूँ।''

''लेकिन सेक्स तुम्हारे दिमाग़ में है। इनकार मत करना,'' बूटा ने कहा।

''अरे भाई, सेक्स तो सबके दिमाग़ में रहता है। किसी के कम, किसी के ज़्यादा। बस, इतनी सी बात है,'' बेग ने कहा।

''इसके बारे में मेरी एक थियोरी है'', बूटा ने कहा, ''अगर तुम लोग सुनना चाहो तो मैं खुशी से बताऊँगा।''

''तुम्हें तो इस विषय पर थीसिस लिखना चाहिए,'' शर्मा ने कहा, ''शायद कोई यूनिवर्सिटी तुम्हें डॉक्टर ऑफ लुल्लोलॉजी की उपाधि दे दे।''

''बूटा सिंह जी, मैं इस विषय में तुम्हारी तरफ़ हूँ। मैं मर्द-व्यवहार की तुम्हारी छानबीन से सहमत हूँ। लेकिन यह मैं अपनी बेगम को कैसे बताऊँगा? वह रोज़ मुझसे पूछती हैं कि तुम लोग क्या बात करते हो।''

"उन्हें बताना कि हम गाँधी के उसूलों पर चर्चा करते हैं," शर्मा ने कहा।

बूटा अपनी धुन बदल देते हैं और कहते हैं—"मैं तुम्हें बताऊँ कि मैं गाँधी जी की इन सब बातों के बावजूद उनकी इतनी इज्ज़त क्यों करता हूँ। वे कभी झूठ नहीं बोलते थे।

"उन्होंने इसे जीवन के व्यवहार में बदल दिया। इसी से उन्होंने ताकतवर से लड़ने के लिए अपने शक्तिशाली हथियार बनाए—सत्याग्रह और अहिंसा! और उन्होंने एक भी गोली चलाए बिना अपनी लड़ाइयाँ जीतीं।"

शर्मा भी प्रभावित दिखाई दिए। "यह तो ऐसा है जैसे शैतान धर्म की किताब पढ़ रहा हो। भाई बूटा, आज मैंने पहली दफा तुम्हारे मुँह से समझदारी की बातें सुनी हैं।"

बेग भी मान जाते हैं। कहते हैं, "अब मैं अपनी बेगम को बता सकता हूँ कि गाँधी जी महान क्यों थे। बूटा जी, शुक्रिया आपका।"

बूटा जी मुस्लिम ढंग से दोनों को सलाम ठोककर उनकी प्रशंसा स्वीकार करते हैं।

इस प्रसन्न अन्त के साथ वे एक-दूसरे से विदा लेते हैं।

~

लेकिन शर्मा और बेग के घरों में इस विषय पर फिर बहस छिड़ जाती है।

शर्मा की बहन ने उनसे पूछा कि वे पार्क में क्या बातचीत करते रहे। उन्होंने एक शब्द में जवाब दिया, "गाँधी जी।"

"गाँधीजी! बोरिंग विषय है। गाँधी जी के बारे में ऐसी क्या बात है जो हज़ार दफा पहले भी नहीं कही जा चुकी? अब तो उनके जन्मदिन और शहीदी दिवस पर गाए जाने वाले भजन ही रह गए हैं।"

"बाहरी दुनिया में भारत को गाँधी जी का देश कहा जाता है," शर्मा अपनी बात दोहराते हैं।

"छिः", वे प्रतिरोध करती हैं, "गाँधी जी के देश में कोई उनके आदर्शों का पालन नहीं करता।" इसके बाद वे नौकरों के बच्चों को लेकर टी.वी. देखने चली जाती है।

बेग की बेगम भी उनसे यही सवाल पूछती हैं और उन्हें भी यही एक शब्द वाला जवाब मिलता है, "गाँधी जी!"

वे कहती हैं, "अब तो गाँधी जी के नाम के सिवाय दुनिया में उनका कुछ भी नहीं रह गया है। अपने देश में ही हो रही हिंसा को देखिए। मार्क्सवादी और नक्सलवादी दोनों आदिवासी इलाकों में पुलिस वालों को मार रहे हैं। मुस्लिम विरोधी मुख्यमन्त्री नरेन्द्र मोदी के राज्य गुजरात में हिन्दू मुसलमानों को मार रहे हैं। पाकिस्तान में पेशावर, कोहाट और लाहौर में बम फूट रहे हैं—सुन्नी शियों को मार रहे हैं। अफगानिस्तान में मुस्लिम एक दूसरे को दर्जनों की तादाद में मार रहे हैं। यमन, ईरान और इराक में भी सब जगह गाँधी कहानी बनकर रह गए हैं। अब गाँधी का मतलब सिर्फ अच्छे इरादे जताना रह गया है, उन्हें व्यवहार में लाना नहीं।"

बेग उन्हें रोकते हुए कहते हैं, "अच्छा, अच्छा, बेगम, अब मुझे शान्ति से ह्विस्की पीने दो।"

~

17 अक्टूबर की शाम को बूटा वहाँ आए तो बेग से कहने लगे, "हम भारतीयों का यह विशेष गुण है कि सुन्दर चीज़ों को भी बहुत बदशक्ल बना डालते हैं।"

बेग ने पूछा, "अब तुम्हें क्या परेशानी है?"

"देखो, आज दिवाली है, देश का सबसे महत्त्वपूर्ण और मनोहर

त्योहार और हमने इसका क्या कर डाला है?'' बूटा ने पूछा।

''मैं तो भूल ही गया था कि आज दिवाली है। शर्मा जी शाम को दोस्तों के साथ बिज़ी रहेंगे,'' बेग ने कहा।

''इसे भूला कैसे जा सकता है,'' बूटा पूछते हैं। ''पटाखे छुटाने के दिन से एक हफ़्ता पहले से इसकी याद दिलाई जाने लगती है। मुझे कानों में डाट लगानी पड़ती है कि धड़ाकों से उनके पर्दे न फट जाएँ। आज शाम से आधी रात के बाद तक यह बम-पटाखे और छोटी-बड़ी फुलझड़ियों के बीच जैसे एक लड़ाई ही होती रहेगी।''

बेग पूछते हैं, ''आप सिख लोग दिवाली नहीं मनाते?''

''हम हर हिन्दू त्योहार और उनसे भी ज़्यादा शोर-शराबे के साथ मनाते हैं,'' बूटा ने जवाब दिया। ''मेरी बेटी एक हिन्दू से ब्याही है। वह और उसकी बेटी अपने और मेरे फ्लैटों में मोमबत्तियाँ और दीए जलाती हैं। मैं सिर्फ इनका जलाया जाना देखता हूँ। मैं बाहर से देखकर बता सकता हूँ कि कौन सा फ्लैट हिन्दू या सिख का है, क्योंकि उनमें दीयों की कतारें लगी होती हैं। जिनमें ये नहीं होतीं, वे मुसलमानों या ईसाइयों के होते हैं। या उनके घर में कोई ग़मी हुई रहती है। यह बहुत आसान है।''

''हमारे मोहल्ले में बम ज़्यादा नहीं चलते। यहाँ पढ़े-लिखे लोग रहते हैं। लोग ज़्यादातर मोमबत्तियाँ जलाते हैं, आसमान में चमकने वाली लहरियाँ छोड़ते हैं। मेरी बेगम भी दरवाज़े पर कुछ दीए जलाती हैं जिससे दूसरों से अलग न लगें,'' बेग कहते हैं।

''शर्मा अपने नौकरों को पैसे भी देते है जिससे वे भी मौज-मज़ा कर सकें। खूब मिठाइयाँ भी खाते है जिनसे पेट में गैस बन जाती है। दिवाली के दिन खाना-पीना और जुआ खेलना ज़रूरी है। बहुत कुछ तुम्हारे ईद-उल-फित्र की तरह, सिर्फ पटाखे और जुए की मुमानियत है,'' बूटा ने कहा।

''बूटा जी, आज आपका मूड खराब लग रहा है। खुश हो जाइए, दिवाली मुबारक!'' बेग ने कहा।

11
गुरु का नवम्बर

दिवाली के पन्द्रह दिन बाद, जब चाँद निकलने लगता है, सिख वर्ष का सबसे महत्त्वपूर्ण दिन आता है—"धर्म संस्थापक गुरु नानक देव जी का जन्म दिवस (1469-1569) चन्द्र की रात के समय। इस समय तक काफी ठण्ड हो जाती है और लोग स्वेटर पहनना और शाल लपेटना शुरू कर देते हैं। दिन छोटे होने लगते हैं और पाँच बजे के बाद सायाएँ लम्बी दिखाई देने लगती हैं। कोरिसिया और कैसिया को छोड़कर पेड़ों में फूल खिलने बन्द हो जाते हैं और अमीरों के बगीचों में तरह-तरह के क्राइसेन्थिमम खिलने लगते हैं।

अब गुरुजी की बात पर लौट आयें। बेगम बेग ने अपने शौहर को हिदायत दी है कि बूटा सिंह को इस दिन मुबारकबाद देना न भूलें। इसलिए जैसे ही वे सामने नज़र आते हैं, वे कहते हैं, "गुरुजी का जन्मदिन मुबारक हो!"

शर्मा जी बीच में दखल देकर कहते हैं—"बेग साहब, यह मुबारकबाद आपको पंजाबी में देनी चाहिए—गुरु परब दी लक्ख लक्ख बधाई होवे।"

बेग जितनी अच्छी तरह से कह सकते हैं, कहने की कोशिश करते हैं।

"शुक्रिया", बूटा कहते हैं, "लेकिन मैं तो गुरुद्वारे भी नहीं जाता।"

"बड़ा चालाक है सरदार", सिखों और उनके धर्म के बारे में लेख लिखता है और उनसे सम्मान प्राप्त करता है और दूसरी तरफ अनीश्वर और तर्कवादी बनने का ढोंग रचता है। इसकी दोनों तरफ चाँदी है।"

लड़ाई ज़्यादा न बढ़ जाए, इसलिए बेग बीच में दखल देते हैं, "मैं अपना अज्ञान स्वीकार करता हूँ। मैं सिख धर्म के बारे में सिर्फ इतना जानता हूँ कि वे एक ईश्वर को मानते हैं और मूर्ति पूजा नहीं करते। हम मुसलमानों की तरह वे भी अहले-किताब हैं, यानी किताब को ही सर्वोपरि मानते हैं और जाति नहीं मानते। इन्हें लड़ाकू कौम माना जाता है।"

शर्मा हमले के मूड में हैं। "मैं बात साफ़ कर दूँ। सिख धर्म का सब कुछ हिन्दू धर्म से लिया गया है। इसका दर्शन उपनिषदों पर आधारित है लेकिन लिखा पंजाबी में गया है। हाँ, सिख एक ईश्वर मानते हैं, तो बहुत से हिन्दू भी मानते हैं। सिख मूर्ति-पूजा के खिलाफ़ हैं लेकिन अपनी किताब को मूर्ति की तरह पूजते हैं। उसे वे बहुत कीमती सिल्क में लपेट कर रखते हैं, सवेरे जगाते हैं–प्रकाश करते हैं–फिर शाम को सुला देते हैं–संतोख करते हैं। विशेष त्योहारों पर वे इसे बड़े-बड़े जुलूसों में रखकर निकालते हैं, जैसे हिन्दू अपने देवी-देवताओं के जुलूस निकालते हैं। और जाति न मानने के बारे में जितना कम कहा जाए, उतना ही अच्छा है। भारत के सब समाजों में अपनी जातियाँ हैं, हिन्दू, मुसलमान, ईसाई और सिख, सभी में। इसका दोष हिन्दू ब्राह्मणों पर मँढ़ा जाता है। सिखों में तीन जातियाँ हैं–जाट, जिनका बहुमत है; गैर जाट जिनमें खत्री और वैश्य आते हैं, और अछूत मज़हबी। इनमें आपस में शादियाँ नहीं होतीं। दसों सिख गुरुओं में से किसी ने भी क्षत्रियों से बाहर शादी नहीं की। मज़हबियों को अछूत ही माना जाता है, कई गाँवों में उनके अलग गुरुद्वारे भी होते हैं, इसलिए उनका जाति वगैरह न मानना एकदम बकवास है–जैसा बूटा कहते हैं।"

"लेकिन मज़हबी सब गुरुद्वारों में जा सकते हैं और दूसरी जातियों के साथ लंगर में बैठकर खा भी सकते हैं," बूटा ने प्रतिवाद करते हुए कहा, "यह हिन्दुओं जितना बुरा नहीं है, जहाँ बहुत से मन्दिरों में वे दूसरों के साथ खा नहीं सकते।"

"मैं इसे मानता हूँ," शर्मा कहते हैं। "यह उन्नीस-बीस का फ़र्क है। और जहाँ तक उनके लड़ाकू कौम होने की बात है, जिसे वे बार-बार दोहराते हैं, तो राजपूत, मराठे और गोरखे सभी हिन्दू ही हैं। मुसलमानों में पठान हैं। और लड़ाकू होने का यह घमण्ड बेमानी है—इसमें कोई दम नहीं है।"

बेग बात को सँभालने की कोशिश करते हैं, "शर्मा जी, आप चाहते हैं कि मैं बूटा जी से लख-लख बधाइयाँ वापस ले लूँ?"

"लगता तो यही है, है न?" बूटा ने कहा। "आप हिन्दू धर्म के खिलाफ एक वाक्य भी बोलिए, तलवारें निकल आती हैं। उनके लिए हिन्दू धर्म हमेशा अपवित्र होने का खतरा झेलता है।"

अब शर्मा भाषण देने लगते हैं—"हिन्दू धर्म दुनिया का अकेला ऐसा धर्म है जो किसी एक मसीहा के उपदेशों से नहीं चला है, बल्कि यह वेद, उपनिषद और गीता में कहे गए अमर सत्यों पर आधारित है। इसमें से निकले बौद्ध, जैन और सिख धर्म सभी एक मसीहा पर आधारित हैं, जो मातृधर्म के किसी एक या दूसरे पक्ष का प्रतिपादन करते हैं। लेकिन सिख यह मानने से नफरत करते हैं कि उनका मूल धर्म ग्रंथ 'आदिग्रंथ' पूरी तरह हिन्दू धर्म पर आधारित है। यही नहीं, ईश्वर के लिए इनके नाम भी, एक को छोड़कर, वाहे गुरु, सब हिन्दू हैं—वाहे गुरु नाम इन्हें धर्म के प्रचारकों ने दिया—जैसे हरि, राम, गोविन्द, विट्ठल वगैरह दर्जन के करीब नाम।"

बूटा उनके इस वक्तव्य में कुछ दखलंदाज़ी करें उससे पहले ही शर्मा, अब बेग को अपना लक्ष्य बनाकर, कहना जारी रखते हैं—"पश्चिम के सारे धर्म मसीहों पर आधारित हैं, ज़ोरोआस्ट्रियनिज्म जरथुस्त्र पर,

जूडाइज़्म ओल्ड टेस्टामेंट के पैगम्बरों पर, ईसाई धर्म ईसामसीह पर, इस्लाम हजरत मुहम्मद और उनको अल्लाह द्वारा भेजी गई कुरान शरीफ़ पर...। इसकी ज़्यादातर प्रथाएँ जूडाधर्म से ली गई हैं। प्रार्थना करने के लिए यहूदी जेरुसेलम की ओर मुँह कर के सिर नवाते हैं और वहाँ तीर्थयात्रा के लिए जाते हैं; इसी तरह मुसलमान भी मक्का और मदीना की तरफ़ करते हैं और वहीं हज करने जाते हैं। उनकी प्रार्थनाओं के नाम भी यहूदियों से लिए गए हैं। यहूदी जो पशु-पक्षी खाते हैं उनका खून निकालते हैं और इसे कोशर कहते हैं। मुसलमान भी यही करते हैं और इसे हलाल कहते हैं। यहूदी सुअरों को अपवित्र मानते हैं और उनका माँस नहीं खाते। उसे वे हराम कहते हैं। यहूदी अपने बच्चों का खतना करते हैं, मुसलमान भी करते हैं और उसे 'सुन्नत' कहते हैं।''

बेग और बूटा शर्मा का भाषण अन्त तक सुनते हैं। बेग इससे परेशान होते हैं लेकिन दिखाना नहीं चाहते। ''पण्डितजी, मैं आपसे दो सवाल पूछने की इजाज़त चाहूँगा। पहला यह कि अगर हिन्दू धर्म दुनिया का पहला और सबसे बड़ा धर्म है, तो ईसाई और इस्लाम धर्मों को ज़्यादा लोग क्यों मानते हैं? और दूसरा यह कि आजकल इस्लाम को दुनिया का सबसे तेज़ी से आगे बढ़ रहा धर्म क्यों कहा जाता है?''

शर्मा के जवाब देने से पहले बूटा बोल उठते हैं—''मैं बेग साहब के सवालों में एक और शामिल करना चाहूँगा। अगर आप जो कहते हैं, वह सब सच है, तो हिन्दुओं में सबसे ज़्यादा अंधविश्वास क्यों हैं? गंगा पवित्र क्यों मानी जाती है? दूसरी नदियों की तरह इसका पानी भी बर्फ से पिघलकर बनता है। इसके गन्दे पानी में डुबकी लगाने से शरीर और आत्मा क्यों पवित्र हो जाती है? इसका पानी भी, जैसे-जैसे नदी आगे बढ़ती जाती है, गंदा होता चला जाता है। और जहाँ तक आत्मा का सवाल है, उसके बारे में कौन क्या जानता है...''

शर्मा और कुछ कहने को तैयार नहीं होते। उन्हें लगता है कि उन्होंने अपनी बात रख दी है और अगर उनके मित्र उस पर विचार करेंगे, तो

वे उनकी बात समझ जायेंगे। वह जल्दी घर वापस लौटना चाहते हैं, जिससे बूटा सिंह पर अपनी जीत की खुशी में एक पेग और ज़्यादा चढ़ा सकें।

बूटा को अपनी इस हार से अच्छा नहीं लग रहा। अभी रोशनी है, नवम्बर की रोशनी चमकदार हो सकती है। सूरज नीचे जाता है, तो साफ़ नीला आसमान चाँदी जैसी चमक से जाग उठता है। बूटा घर जाने से पहले सिकंदर लोदी के मकबरे का एक चक्कर लगाना तय करते हैं। इसकी दीवाल में छेद होते थे जिनमें उल्लू अपनी आँखें बन्द किए सूरज की रोशनी ले रहे होते थे। यदि कोई रुककर इन पर नज़र डाले तो ये भाँप जाते, आँखें खोलकर ऊपर-नीचे अपना सिर हिलाते और फिर अपने छेद में भीतर घुस जाते। अब दीवार गिर गई है और उसे छेदों के बिना दोबारा बना दिया गया है। आज शाम दो उल्लू के बच्चे मुँडेर पर बैठे हैं और बूटा उन्हें देखने के लिए रुक जाता है। उल्लू आँखें निकालकर खतरनाक ढंग से उन्हें देखते हैं, फिर मकबरे के पीछे की तरफ़ उड़ जाते हैं।

बूटा मकबरे का चक्कर लगाते हैं। उत्तर की तरफ़ सप्तपर्णी के कुछ पेड़ हैं। इन्हें फूल तो नहीं दिखाई देते, लेकिन कार की तरफ आगे बढ़ते हुए उन्हें इनकी खुशबू ज़रूर पता चलती है। वे फैसला करते हैं कि मौका मिलते ही शर्मा का सामना करेंगे।

बेग अकेले रह गए हैं। उनका नौकर उनके कँधों पर शाल डाल देता है और कहता है, ''आपके साथी चले गए हैं, अब हमें भी चलना चाहिए। ठण्ड बढ़ती जा रही है।''

बेग कसमसाते हुए उठते हैं और आराम कुर्सी पर बैठ जाते हैं, जिसे ढकेल कर गाड़ी तक लाया जाता है। उनकी बेगम लम्बी मुस्कान से उनका स्वागत करती हैं और कहती हैं, ''आज आप जल्दी आ गए? क्या दोस्त लोग नहीं आए?''

''आए थे। और आज पहली दफा शर्मा ने बूटा को पछाड़ दिया।''

''क्या हुआ?''

"मैंने बूटा को गुरु नानक के जन्मदिन की बधाइयाँ दीं। बूटा कुछ कह पाता, इससे पहले ही शर्मा ने उसे लेक्चर दे डाला कि किस तरह सिख धर्म का सब कुछ हिन्दू धर्म से लिया गया है और उनमें भी दूसरों की तरह जाति की बुराइयाँ हैं। इस तरह की बातें।"

"शर्मा की बातों में कुछ सच तो ज़रूर है। हम सबमें अपनी-अपनी जाति की बुराइयाँ हैं। हमारे अपने पैगम्बर हज़रत मोहम्मद थे–अल्लाह उन्हें जन्नत बख्शे–जिन्होंने कहा कि हम सब बराबर हैं, और एक हब्शी, हज़रत बिलाल को पहला अज़ान देने वाला बनाया। और अब अपनी तरफ देखिए। अल्ला या इकबाल ने सुलतान महमूद और उनके गुलाम अय्याज़ के बारे में लिखा जिन्होंने मस्जिद में एक-दूसरे के अगल-बगल खड़े होकर नमाज़ पढ़ी। लेकिन जैसे ही नमाज़ खत्म हुई, महमूद सुलतान हो गए और अय्याज़ उनके गुलाम। हमें बताया जाता है कि इस्लाम का मतलब है शान्ति और अल्लाह का हुक्म मानना। लेकिन आज के मुसलमानों को देखिए। रोज़ आप सुनते हैं कि पाकिस्तान में बमों से मस्ज़िदें उड़ाई जा रही हैं, मुसलमान ईरान, ईराक और अफगानिस्तान के मुसलमानों को मार रहे हैं। आप बताएँ, सच्चा इस्लाम अब कहाँ रहा है?"

"अच्छा, बेगम, अच्छा। मैं आपसे ये बातें बहुत दफ़ा सुन चुका हूँ। अब मेरी ह्विस्की का ज़ायका मत खराब कीजिए।"

"इस पर भी कुरान में पाबन्दी है। आप नक़ली मुसलमान हैं।"

"आमीन!"

~

दो दिन बाद गाँधी जी का नाम सनसेट क्लब में फिर चर्चा का विषय बना। लेकिन इस दफा कारण एकदम भिन्न, हालाँकि सही था। झारखण्ड के मुख्यमन्त्री मधु कोडा को बहुत बड़े पैमाने पर भ्रष्टाचार के लिए दोषी

ठहराया गया है। वह गरीब किसान के घर पैदा हुआ और पद सँभालने के महीने भर बाद ही राज्य की संपत्तियाँ गिरवी रखकर करोड़पति बन गया। उससे पहले और बाद में भी, मुख्यमन्त्री बनने वाला शिबू सोरेन भी पैसा बनाने और हत्या करवाने के आरोपों का दोषी था।

"अब गाँधीजी का यही रह गया है," शर्मा कहते हैं। "सोरेन और कोड़ा जैसे लोग साल में दो दिन गाँधी का उत्सव मनाते हैं और 363 दिन जनता के पैसे की चोरियाँ करते हैं।"

बूटा पूछते हैं, "लेकिन समाज के इस व्यापक भ्रष्टाचार का दोष आप गाँधीजी को कैसे दे सकते हैं?"

"मैं उन्हें दोष नहीं दे रहा," शर्मा कहते हैं। "मैं सिर्फ यह कह रहा हूँ कि अब उनका कोई मतलब नहीं रहा।"

बेग कहते हैं, "मैं आपको यह बताऊँ कि हराम का पैसा कभी हज़म नहीं होता। इस तरह पैसा कमाने वाला कभी शान्ति नहीं पाता।"

"बेग, यह धारणा गलत है," बूटा ने कहा, "खूब हज़म होता है। अगर आपके पास ढेर सारा पैसा हो, फिर यह कहीं से भी आया हो, आप जो चाहे खा-पी सकते हैं, आराम से रह सकते हैं, गर्मियों में पहाड़ों पर छुट्टियाँ मना सकते हैं और बीमार पड़ने पर अच्छे-से-अच्छे डॉक्टर और कीमती-से-कीमती दवाएँ ले सकते हैं। और इत्तफ़ाक से कभी आप रिश्वत लेते हुए पकड़ भी लिए जाएं, तो उससे ज़्यादा बड़ी रिश्वत देकर छूट भी सकते हैं। आप अक्सर यह देखते होंगे कि भ्रष्ट लोग जवानी में नहीं मरते, वे सब अस्सी पार करते हैं।"

लेकिन शर्मा मुस्कराकर कहते हैं, "और हम तीनों के बारे में क्या, यह सच है कि हम तो भ्रष्ट नहीं हैं।"

~

बेगम बेग ने भ्रष्टाचार के बारे में जब तीनों की ये बातें सुनीं, तो उन्होंने कुछ और भी कहा, "आप कहते हैं कि भ्रष्ट लोगों की नींद कभी खराब नहीं होती, लेकिन आप यह क्यों नहीं कहते कि वे रात को इतनी शान्ति से खर्राटे क्यों भरते हैं। यह मैं आपको बताती हूँ। क्योंकि उनमें कोई ज़मीर नहीं होता। सिर्फ़ वे ही लोग अपराधी महसूस करते हैं जिनमें जमीर होता है।"

"यह सच है," बेग ने कहा। "मेरा ख्याल है कि चोरों, पॉकेटमारों, डाकुओं और हत्यारों के बारे में भी यही सच है। उनमें शर्म नहीं होती। इसीलिए उन्हें अपराध की भावना नहीं सताती।"

"खुदा का शुक्र है," बेगम साहिबा ने कहा, "कि हमारे परिवार में किसी ने दूसरे की ज़मीन पर कब्जा नहीं किया है। अल्लाह हम पर इसीलिए मेहरबान है।"

"इसीलिए मैं गाँधी जी के उपदेशों की कद्र करता हूँ," बेग ने कहा, किसी को चोट मत पहुँचाइए, आपको इसका इनाम दिया जाएगा। मैं जानता हूँ कि मैं अच्छा मुसलमान नहीं हूँ, लेकिन मैंने किसी को कोई नुकसान नहीं पहुँचाया है। मैं जब तक ज़िन्दा रह सकता हूँ, अच्छी तरह जीना चाहता हूँ, कुछ इस तरह जैसे शहंशाह बाबर ने एक बार कहा था, "ज़िन्दगी इस तरह पूरी तरह जियो जैसे वह एक दफा ही तुम्हें मिली है।"

~

शरद के बाद एकदम सर्दियाँ शुरू हो जाती हैं। 11 तारीख को हल्की-सी बारिश होती है जिससे तापमान कुछ डिग्री कम हो जाता है। हफ्ते भर बाद शहर में ठण्डी हवाएँ चलना शुरू हो जाती हैं। लोग दिन में ऊनी स्वेटर, मफलर और टोपियाँ पहन लेते हैं। सूरज डूबने के बाद रज़ाइयों

में घुस जाते हैं। पैसे वालों के यहाँ आग जलने लगती है, वे टी.वी. देखना शुरू कर देते हैं। दूरदर्शन पर पाकिस्तान के बारे में एक प्रोग्राम है—पेशावर, कोहाट, रावलपिण्डी और लाहौर में बम फोड़े जा रहे हैं। हमारे लोग हिन्दुस्तान में रह रहे हैं, इसलिए खुश हैं।

12

दिसम्बर में नीले रंग का चाँद

तो अब हम साल 2009 के आखिरी महीने तक आ पहुँचे। दिन धुंध और कोहरे से शुरू होते हैं। जैसे-जैसे हिमालय पर बर्फ गिरनी शुरू होती है, दिल्ली में भी तापमान तेज़ी से गिरने लगता है। इस मौसम में सिर्फ तीन फूल खिलते हैं, गुलदाउदी, गेंदा और गुलाब। युवाओं के लिए, यह महीना अच्छा है और वे इस समय की ठंडी हवा का आनन्द ले सकते हैं। लेकिन बूढ़ों के लिए यह महीना अच्छा नहीं है क्योंकि उनका खून ठण्डा पड़ चुका है, उन्हें आसानी से ठण्ड लग जाती है, जुकाम हो जाता है, गले में खराश पैदा हो जाती है और बलगम के साथ खाँसी आने लगती है। कई तो निमोनिया के शिकार हो जाते हैं और गुज़र जाते हैं। साल के अन्य महीनों की अपेक्षा, बूढ़े लोग, दिसम्बर और जनवरी में ज़्यादा मरते हैं।

1 दिसम्बर को बेग गार्डन में आने वाले आखिरी व्यक्ति हैं और उनका पारा चढ़ा हुआ है। ''यहाँ पहुँचने में मुझे एक घण्टा लगा,'' वे कहते हैं। ''पुलिस ने रास्ते बन्द किए हुए थे क्योंकि सोनिया गाँधी और प्रधानमन्त्री निगम बोध घाट जा रहे थे। आज सवेरे ज़रूर कोई बड़ा आदमी

मर गया है। मेरी बेगम ने इसके बारे में मुझे कुछ नहीं बताया।''

बूटा ने बताया, ''हाँ, राजस्थान के राज्यपाल एस.के. सिंह मर गए। अच्छे, ईमानदार और योग्य व्यक्ति थे, ज़्यादा बूढ़े भी नहीं थे। लेकिन इसके लिए सब रास्ते बन्द नहीं किए जाने चाहिए। खैर, आपने वह खबर पढ़ी कि चार जनरल सार्वजनिक भूमि को गैर कानूनी ढंग से बेचकर पैसा बना रहे हैं? ये लोग ऊँचे वेतन लेते हैं, फ्री बंगलों में रहते हैं, ऑफिसर्स मेसों में मुफ्त खाना खाते हैं, मुफ्त इलाज और दवाएँ लेते हैं और मोटी पेंशन प्राप्त करते हैं। लेकिन कुछ दुष्टों के लिए इतना काफ़ी नहीं होता और वे बेईमानी से भी कमाते हैं। फिर जब पकड़े जाते हैं, सेना की बदनामी होती है।''

''मेरी बेगम ने इनके बारे में भी मुझे कुछ नहीं बताया,'' बेग ने कहा।

~

महीने के मध्य में बूटा सिंह को फिर जुकाम हो जाता है। इस साल यह छठवीं दफ़ा उनको जुकाम हुआ है। उन्होंने ऐसा तो कुछ नहीं किया, जिससे यह हो। बल्कि उन्होंने नियमित रूप से हेलिबओरेंज की गोलियाँ खाईं, लिमसिप पिया और लिस्टरिन से गरारे किये। जब भी यह दोबारा होता है, पिछली दफ़ा से ज़्यादा खराब होता है। यह शायद उनके जीन्स में ही है; वे ज़रूर निमोनिया से मरेंगे।

पूरे तीन दिन और रात उनकी नाक बन्द रहती है और खाँसते हैं तो बलगम बाहर निकलता है। और वे बराबर खाँसते ही रहते हैं। शर्मा को बूटा के नौकर से इसका पता चलता है और वे उससे कहते हैं कि अपने मालिक को डॉक्टर के यहाँ जाने को कहे। ''उस गधे को कहो कि डॉक्टर बुलाए।''

बेग को शर्मा से यह खबर मिलती है, तो वे कहते हैं, ''उन्हें हमेशा

जुकाम की शिकायत रहती है। ठीक से अपनी देखभाल नहीं करते।''

अब 'बूढ़ा बिंच' की शामें जल्दी खत्म हो जाती हैं और ज़्यादा गपशप नहीं होती। बेग और शर्मा दोनों सूरज ढलने से पहले ही घर वापस लौट जाते हैं।

बेगम बेग को ताज्जुब हुआ कि उनके शौहर इतनी जल्दी गार्डन से लौट आए। बेग कहते हैं—''बूटा नहीं होता तो ज़्यादा मज़ा नहीं आता। शर्मा को कोंचा न जाए, तब तक वे बोलते ही नहीं।''

''बेचारे...मैं उनके लिए यख्नी भेजूँगी,'' बेगम कहती हैं।

छह दिन बाद हल्की बौछार पड़ती है। तापमान दो डिगरी गिर जाता है। बूटा को डर सताता है कि उनका सर्दी-जुकाम ज़्यादा बढ़ जाएगा। लेकिन होता इसका उलटा है—उनकी नाक साफ़ हो जाती है और खाँसी भी रुक जाती है। अब वे दोस्तों से गप मारने के लिए फिर उतावले हो उठते हैं।

बौछार ज़्यादा देर नहीं चलती। आसमान साफ़ नीला हो गया है। सूरज दुनिया को जगमगा देता है। बूटा बाबरी मस्जिद को ढहाने के बारे में लिबरहन कमेटी की रिपोर्ट पढ़ते हैं—जो दुर्घटना के सत्रह साल बाद प्रकाशित हुई है और जिसे तैयार करने में सात करोड़ रुपया खर्च हुआ है। यह विषय जानदार बहस के लिए अच्छा रहेगा।

बूटा सनसेट क्लब में बहुत खुश होकर प्रकट होते हैं। शर्मा भी बहुत खुश हैं और कहते हैं, ''ओए बुड्ढे, तुझे यह हर चौथे दिन क्या हो जाता है?''

''भाई, इस दफ़ा तो मैंने सोचा कि सचमुच मेरा अन्त आ गया है। मैंने अपने नौकर से कहा कि ऐसा कुछ हो जाए, तो मेरी सारी शराब इकट्ठी करके शर्मा और बेग में बराबर-बराबर बाँट देना। फिर उसने एक शेर सुनाया—

''सामान सौ बरस का, पल की खबर नहीं''

"वाह, वाह!" बेग ने दाद दीं। तो सौ साल ज़िन्दा रहने के लिए तुममें अभी जान बाकी है!"

सब खूब हँसते हैं। बेग लिबरहन कमीशन के फैसले की बात उठाते हैं। शर्मा कहते हैं, "जब कभी हमारी सरकार मुसीबत में होती है, कमीशन बैठा देती है। कमीशन मज़े से धीरे-धीरे काम करते हैं। ऊँचे वेतन, मुफ्त घर, मुफ्त यात्रा, वगैरह, वगैरह–सब सदस्यों के लिए। फिर जब तक वे अपनी रिपोर्ट देते हैं, लोग भूल-भाल जाते हैं कि यह सब क्या था। नेता जी सुभाषचन्द्र बोस के बारे में कई कमीशन बिठाए गए, कि हवाई दुर्घटना में सचमुच उनकी मृत्यु हुई थी या नहीं? और 1984 के सिख विरोधी दंगों के लिए आधे दर्जन कमीशन बिठाए गए। ऐसे दर्जनों कमीशनों के कागज़ात फाइलों में धूल खाते मिल जाएँगे।"

"सच में इससे पहले के सब कमीशनों से ज़्यादा पैसा इस कमीशन के लिए खर्च किया गया है।" बूटा ने कहा, "हमने ऐसा ड्रामा पहले टी.वी. पर देखा, भाजपा के नेता मंच पर बैठे यह तमाशा देख रहे थे। शिव सेना के गुण्डे हथियार लेकर मस्जिद पर चढ़े हुए तोड़-फोड़ में लगे थे। यह सब उत्तर प्रदेश के मुख्यमन्त्री कल्याण सिंह को पता होगा और प्रधानमन्त्री नरसिंह राव को भी, जिसके रीढ़ की हड्डी ही नहीं थी। फिर जब काम खत्म हो गया तो उमा भारती ने मुरली मनोहर जोशी को गले से लगाया। इनमें से किसी बेशर्म ने यह कोशिश नहीं की कि इन बेशर्म धर्मस्थल तोड़ने वालों को रोका जाए। आडवाणी, जिसने यह सारी शैतानी शुरू की, भाजपा सरकार के सबसे शक्तिशाली मन्त्री बने। अब वे कहते हैं कि यह उनकी ज़िन्दगी का सबसे दुःख भरा दिन था। उन्होंने अब तक अपने किए की माफ़ी नहीं माँगी है। एक बड़े पुलिस अफसर अंजु गुप्ता ने, जो अयोध्या में उन दिनों असिस्टेंट सुपरिटेंडेन्ट ऑफ़ पुलिस और आडवाणी का सुरक्षा अधिकारी था, विशेष सी.बी.आई. अदालत में बयान देते हुए कहा कि बाबरी मस्जिद के विध्वंस के बाद दिया गया

आडवाणी का भाषण उत्तेजक था। उन्होंने कई दफ़ा यह बात दोहराई कि राम मन्दिर उसी जगह बनेगा जहाँ मस्जिद खड़ी थी।"

बूटा कहते रहते हैं, "और वह मुखौटा वाजपेयी पता ही नहीं चलता कि उसके दिमाग़ में क्या चल रहा है। उसके लिए आगे भी और पीछे भी, दोनों जगह जीत है।"

शर्मा नरमी से इसका विरोध करते हैं–"मैं मानता हूँ कि मस्जिद तोड़ना शर्म की बात थी। लेकिन मन्दिर तोड़ना भी तो शर्म की बात है। मुस्लिम हमलावरों ने सैकड़ों हिन्दू मन्दिर तोड़े, जिनमें सबसे महत्त्वपूर्ण सोमनाथ का मन्दिर था, जहाँ से आडवाणी ने अपनी रथ-यात्रा शुरू की थी। इन मन्दिरों के तोड़े जाने की यादें आज भी लाखों लोगों के मन में ज़िन्दा हैं। यह आदमी का स्वभाव है।"

"ठीक बात है, अब इस जैसे-को-तैसा व्यवहार का अन्त होना चाहिए," बूटा कहते हैं। "तुमने मेरा मन्दिर तोड़ा, मैं तुम्हारी मस्जिद तोड़ूँगा। हमें उम्मीद थी कि आज़ादी मिलने के बाद ये सब घटनाएँ भुला दी जाएँगी। आप क्या कहते हैं, बेग साहब?"

बेग ज़रा सा सिर हिला देते हैं। वे समझ रहे हैं कि इस गलत काम करने वालों के लिए बूटा द्वारा कठोर भाषा का प्रयोग मुसलमानों को यह विश्वास दिलाने के लिए है कि गैर-मुस्लिम भी उनकी चोट में भागीदार हैं। बूटा ने जो कहा, वे अपनी बेगम को ज़रूर बताएँगे। इससे वे खुश होंगी। लेकिन वे साफ़ खुद गोल-मोल जवाब देते हैं। "यह सच है कि हमने आज़ादी का अपना सफ़र बड़ी उम्मीदों के साथ शुरू किया था। लेकिन वे सब बड़ी क्रूरता से खत्म कर दी गई हैं। इससे ज़्यादा साम्प्रदायिक नफ़रत और हिंसा मैंने अपनी ज़िन्दगी में अब तक कभी नहीं देखी।"

फिर वे चुप होकर सोचने लगते हैं। सूरज डूब गया है और ठण्डक बढ़ने लगी है। बेग का नौकर सामने आकर कहता है–"ठण्ड बहुत बढ़ गई है। बेगम साहिबा फ़िक्र कर रही होंगी।"

यह सुनकर तीनों उठ खड़े होते हैं और एक दूसरे से विदा लेते हैं। "कल फिर मिलेंगे।"

बेगम साहिबा सचमुच परेशान लगीं। "आज देर हो गई। इतनी सर्दी में क्यों बैठे रहे?"

"मैं बताऊँगा," बेग जवाब देते हैं। "आज बहुत अच्छी बहस छिड़ी। लेकिन पहले मुझे ह्निस्की की चुस्की लेने दो। मैं ठिठुर रहा हूँ।"

वह जलती हुई आग के बगल में अपनी कुर्सी पर बैठकर आराम करते हैं। नौकरानियाँ उनके पैर दबाने लगती हैं। नौकर ब्लैक लेबिल की बोतल, सोडा और बर्फ लेकर आता है। बेग अपने लिए एक कड़क पेग ढालते हैं। बेगम साहिबा इसके लिए अपना विरोध जताने के लिए नाक पर दुपट्टा रख लेती हैं, लेकिन उनके पास बैठ जाती हैं और कहती हैं–"तो बताइए, आज शाम क्या बातें हुईं?"

"बाबरी मस्जिद गिराने की रिपोर्ट के बारे में," बेग ने कहा। फिर उन्हें विस्तार से वह सब बताते हैं जो शर्मा और बूटा ने कहा। वे शर्मा की बातों पर कोई टिप्पणी नहीं करतीं। जब बेग की कहानी खत्म हो जाती है, तब वे ज़ोर से कहती हैं, "इन लोगों ने जो किया है, उसे तो अल्लाह भी माफ़ नहीं करेगा। ये सब गुण्डे जहन्नुम में सड़ेंगे। आप मेरी बात गाँठ बाँध लें, जो लोग भी इस तरह पूजा-पाठ की जगहें तबाह करते हैं, उन्हें सख्त से सख्त सज़ा मिलनी चाहिए।"

यह सुनकर नौकर भी, जो चुपचाप खड़े सुन रहे थे, सिर हिलाते हैं। एक ज़ोर से कहता है, "बेगम साहिबा ठीक कहती हैं। सबको लोगों के सामने कोड़े लगाए जाने चाहिए।"

ह्निस्की का एक लम्बा घूँट लेकर बेग सवाल करते हैं–"और उन मुसलमानों का क्या किया जाना चाहिए जिन्होंने हिन्दू मन्दिर ढहाए?"

कोई जवाब नहीं देता। बेगम साहिबा भी कुछ नहीं कहतीं। टी. वी. खोल दिया जाता है। पाकिस्तान के कई शहरों में बम फोड़े जाने

की खबर है, जिनमें से कुछ मस्जिदों में, जब लोग नमाज़ पढ़ रहे थे, फोड़े गए।

~

जैसे देश में पहले ही काफ़ी फ़साद न हो रहे हों, दिसम्बर के शुरू में हैदराबाद में भारी पैमाने पर दंगे शुरू हो गए। आलू जैसी नाक वाला एक राजनेता इस मुद्दे पर आमरण भूख हड़ताल शुरू कर देता है कि आंध्र प्रदेश को तीन हिस्सों में बाँट दिया जाए और तेलंगाना नामक एक नए प्रदेश का तुरन्त गठन कर दिया जाए, जिसमें हैदराबाद भी शामिल हो। उसकी हड़ताल जैसे-जैसे आगे बढ़ती है और उसका वज़न कम होता चला जाता है, उसकी नाक भी चौड़ी होती चली जाती है। हैदराबाद में दंगे शुरू हो गए हैं। बसों में आग लगाई जा रही है, दुकानें बन्द हैं, उस्मानिया यूनिवर्सिटी के छात्र मेज़-कुर्सियाँ तोड़कर अपना विरोध जता रहे हैं। सब यह भूल गए हैं कि भारत को विभिन्न भागों में विभाजित करने का विचार मूलतः भाषा पर आधारित है; जहाँ जो भाषा बोली जाती है, उसी का राज्य भी होगा। सारा आंध्र प्रदेश तेलुगु भाषी है, इसलिए रायल सीमा और तटवर्ती प्रदेश को अलग करना एक भाषा, एक राज्य के सिद्धान्त के खिलाफ़ है। फिर भी, जैसे-जैसे चन्द्रशेखर राव की सेहत बिगड़ती है और डॉक्टर कहते हैं कि वे ज़्यादा दिन नहीं चलेंगे, सरकार भयभीत हो जाती है और 10 दिसम्बर को अलग तेलंगाना राज्य को मान लेने की घोषणा कर देती है। जैसी उम्मीद थी, रातों रात देश के अन्य भागों से भी उसी तरह के अलग राज्यों की माँग शुरू हो गई है। सरकार पुराना हथकण्डा अपनाती है—एक विशेषज्ञ समिति की घोषणा। जो स्वतन्त्र तेलंगाना के गुण और दोषों पर विचार करेगी। संकट खत्म हो जाता है—कुछ समय के लिए।

23 तारीख को झारखण्ड विधान सभा के चुनाव के परिणामों की

घोषणा की गई। किसी भी दल को बहुमत प्राप्त नहीं हुआ। लेकिन पुराने अपराधी शिबू सोरेन, एक नए नेता के अधीन नवगठित भाजपा के साथ एक समझौता करते हैं। यह दल नई नैतिकता की घोषणा करते हुए भी प्रमाणित अपराधी शिबू सोरेन को समर्थन देने के लिए तैयार है। एक फ्रेंच कहावत है—कुछ भी चाहे जितना बदले, वह वैसा ही बना रहता है।

क्रिसमस के दिन बूटा शर्मा के फ्लैट पर एक पेग पीने और यह जानने के लिए जाते हैं कि ईसा मसीह का जन्मदिन कैसे मनाया जाए। शर्मा जी आग के पास क्रिसमस और नए साल के ढेर सारे कार्ड लिए बैठे हैं और उन पर अपने परिचितों और शुभचिन्तकों के पते लिख रहे हैं।

''क्या हो रहा है?'' बूटा सवाल करते हैं।

''देखो यह सारे कार्ड,'' शर्मा कहते है। ''दुनिया भर से लोगों ने भेजे हैं। यह जानकर अच्छा लगता है कि लोग आपको याद करते हैं। अच्छा, निकालो और पियो।''

बूटा अपने लिए ह्विस्की का एक पेग ढालते हैं और पीना शुरू करते हैं। ''पैसे की कितनी बर्बादी है!'' वे कहते हैं।

शर्मा की बहन सहमत हैं। ''इन कार्डों पर हज़ार रुपये खर्च कर दिए होंगे। और अब इन पर देशी और विदेशी टिकट लगाने में दो हज़ार और खर्च होंगे।''

शर्मा सिर उठाकर पूछते हैं, ''जो लोग आपको शुभकामनाएँ भेजते हैं, उन्हें जवाब भी न दिया जाए?''

''मैं तो कुछ नहीं करता,'' बूटा कहते हैं। ''जो भी कार्ड आते हैं, उन्हें रद्दी की टोकरी में डाल देता हूँ। बेकार की चिट्ठी-पत्री है।''

''हरेक का ज़ायका अलग होता है,'' शर्मा कहते हैं और अपना गिलास उठाकर कहते है, ''चियर्स!''

''चियर्स,'' बूटा जवाब में कहते हैं और एक घूँट में सारी ह्विस्की पी जाते हैं। ''कल का क्या प्रोग्राम है?''

"कुछ नहीं," शर्मा जवाब देते हैं। "मैं अपनी क्रिसमस डाक देखूँगा और शाम को लोदी गार्डन पहुँच जाऊँगा। वहीं मिलेंगे।"

बूटा डब्बू तीन को थपथपाते हैं और कहते हैं, "ठीक है, हैपी क्रिसमस! चियर्स।"

बूटा घर वापस लौटते हैं। वहाँ दरवाज़े पर मिसलटो की एक टहनी लटकी है, लेकिन चूमने के लिए कोई औरत नहीं है। क्रिसमस की शाम उनके लिए विशेष है; यह उन्हें उन शामों की याद दिलाती है जो उन्होंने अंग्रेज़ों के घरों में बिताई। वह अपने लिए एक सिंगिल माल्ट, सोडा और बर्फ ढालते हैं, और आग के बगल में अपनी कुर्सी पर बैठ जाते हैं। फिर अपना टेप रिकॉर्डर चला देते हैं जिसमें उनके सब प्रिय क्रिसमस कैरोल भरे हैं–जैसे 'सायलेंट नाइट, होली नाइट', 'दि हॉली एण्ड दि इवी' और इस तरह के दर्जन भर और जिनका अन्त 'ओल्ड लेंग साइन' से होता है। कुछ देर बाद वे एक सिंगिल माल्ट और लेते हैं और इंग्लैण्ड की पार्टियों में हुए क्रिसमस ईव के दृश्यों की याद में डूब जाते हैं। उनके ओठों से कई दफा 'आह' निकलती है। वे अंग्रेज़ों को दुनिया में इतना क्यों चाहते हैं? अपने भारतीय मित्रों के सामने यह बात स्वीकार करते हुए उन्हें शर्म आती है। लेकिन खुद अपने सामने स्वीकार करना ठीक है। वे अपने नौकर बहादुर को आवाज़ लगाते हैं कि डिनर गर्म करे और बारोलो की बोतल खोले। नौकर ट्रे में उनका खाना लेकर आता है और उनके सामने रख देता है। बूटा गिलास में वाइन निकालते हैं। नौकर बेसब्री से इन्तजार कर रहा है कि कब इन्हें डेज़र्ट सर्व करे और सोने को जाए। साहब के डिनर का वक्त तो न जाने कब का बीत चुका है लेकिन साहब खाने-पीने में बहुत वक्त लगा रहे हैं और ब्रांडी से निखरी क्रिसमस पुडिंग, जिसे उन्होंने खासतौर पर मँगाया था, स्वाद ले-लेकर खा रहे हैं। उनका क्रिसमस की शाम का डिनर विशेष बैलून ग्लास में कोन्याक के बिना खत्म नहीं होता। आप को जीभ से चखे बिना ही इसकी खुशबू मज़ा दे जाती है।

जब उनका खाना खत्म होता है, वह गहरे नशे में पहुँच चुके हैं। गहरी नींद आ रही है। वे अपनी आराम-कुर्सी में ही लुढ़क जाते हैं। उन्हें पता नहीं चलता कि कब बहादुर ने उनकी ट्रे हटा ली और रोशनियाँ बुझा दीं। जब उनकी आँख खुलती है, बटोसी में जल रही आग की चिनगारियाँ बुझ गई हैं और ठण्डक फैलने लगी हैं। वे पेशाब करने बाथरूम जाते हैं और एक हाथ दीवार पर रखे रहते हैं जिससे गिर न पड़ें। फिर अपने गर्म किए गए बड़े रूम में जाते हैं और गर्म पानी की बोतल लेकर रजाई के भीतर घुस जाते हैं। वे जानते हैं कि उन्होंने अपने साथ ढिलाई बरती है और क्रिसमस के दिन उन्हें इसका बदला चुकाना पड़ेगा। लेकिन इससे होता क्या है? क्रिसमस की शाम हर साल एक बार आती है। क्रिसमस खुद खुशी देती हो या न देती हो, त्योहार की शाम तो हमेशा देती है।

~

क्रिसमस डे 2009। सवेरे के समय कुछ धुँध है, जैसी हर क्रिसमस की सुबह दिल्ली में होती है। खुले नीले आसमान में सूरज निकलता है। लॉन पर पड़ी ओस थोड़ी देर तक चमकती है, फिर सूख जाती है। विभिन्न गिरजाघरों की घण्टियाँ बजने लगती हैं।

बेग के घर में क्रिसमस का कोई महत्त्व नहीं है। इसमें सन्देह नहीं कि बहुत से मुसलमान ईसा मसीह को पैगम्बर मानकर उनकी इज़्ज़त करते हैं, लेकिन पृथ्वी पर उनके आगमन को कोई महत्त्व नहीं दिया जाता। वे यह भी जानते हैं कि ईसाइयों के लिए यह बड़ा दिन है—और कुछ आधी रात के वक्त विशेष प्रार्थना के लिए चर्च भी जाते हैं—जैसे कुछ पुराने किस्म के मुसलमान तहज्जुद करते हैं। लेकिन बस इतना ही, ज़्यादा नहीं।

तो क्रिसमस को सवेरे बेग चाय पीते हुए बेगम से कहते हैं, ''आज बड़ा दिन है।''

''जानती हूँ'', बेगम साहिबा कहती हैं। ''इस दिन ये लोग मौज-मजा करते हैं। कई दिन पहले से बाज़ार सजने लगते हैं। लोग एक-दूसरे को उपहार देने पर काफी पैसा बर्बाद करते हैं, ढेर सारी शराब पी जाते हैं और मांस-मछली खाते हैं। बहुत कम लोग चर्च जाकर अपने बनाने वाले का शुक्रिया अदा करते हैं।''

''तो साल में एक-दो बार इस तरह मौज-मस्ती करने में बुराई क्या है?'' बेग का सवाल है।

''जानू, गलत यह है कि ये लोग भूल जाते हैं कि उसने ज़िन्दगी दी है और वही वापस ले लेगा।''

''इस बारे में कोई बहुत ज़्यादा नहीं जानता'', बेग कहते हैं।

''यह बात सुनने में अच्छी लगती है, लेकिन हम जानते हैं कि ज़िन्दगी हमें अल्लाह ने दी है और वही इसे वापस भी ले लेगा। अच्छे काम करने वालों को वह इनाम देता है और जन्नत भेजता है और बुरे काम करने वालों को जहन्नुम की आग में जलने के लिए डाल देता है। यह सब हमारी मुकद्दस किताब में लिखा है। इसका हर शब्द सही है क्योंकि अल्लाह ने खुद इन्हें हमारे पैगम्बर से कहा।''

बेग विरोध करते हैं, ''बेगम, जब कभी मज़हब पर कोई बात होती है तो तुम इतनी उफनने क्यों लगती हो?''

''मैं बताती हूँ, क्यों। क्योंकि शैतान सब पर काबिज़ है। आप जानते हैं कि लन्दन की बसों पर बड़ा-बड़ा लिखा है : ''चूँकि अल्लाह नहीं भी हो सकता, इसलिए आराम से रहिए।'' इससे ज़्यादा शर्म की बात क्या हो सकती है? अगर अल्लाह नहीं है तो आदमी कहाँ से आए? मेरी यह बात गाँठ बाँध लो, यही सच्चाई है।''

सवेरे के अखबार आते हैं तो यह बहस खत्म हो जाती है। बेगम सकीना एक उर्दू अखबार की सुर्खियाँ देखती हैं। बेग 'हिन्दुस्तान टाइम्स'

के पन्ने पलटते हैं। वे मृत्यु के समाचारों का पन्ना ऊपर से नीचे तक देखते हैं, कि कहीं उनका कोई जानने वाला तो नहीं गुजर गया। इनकी तस्वीरें और नाम वगैरह देखने के बाद वे इसे रख देते हैं और बेगम से पूछते हैं कि दुनिया में क्या हुआ।

~

क्रिसमस के दिन शर्मा फिर कार्डों पर अपने दस्तखत करने और लिफाफों पर पते लिखने शुरू कर देते हैं। अभी भी बहुत से कार्ड लिखे जाने बाकी हैं, लेकिन डाक विभाग की छुट्टी होने के कारण उनके पास काफ़ी वक्त है और वे कल सवेरे तक सब काम खत्म करके खुद ही इन्हें डाक के डिब्बे में डाल भी आएँगे। कार्डों का यह काम निबटाने के लिए उन्हें घर पर अपनी बहिन के पास ठहरना पड़ रहा है, जो उन्हें अच्छा नहीं लग रहा। इसलिए नाश्ते के बाद वे इण्डिया इण्टरनेशनल सेंटर अखबार पढ़ने चले जाते हैं। वे यहाँ की रौनक़ देखते हैं और आज के खाने का विशेष मीनू क्या है, इस पर नज़र डालते हैं। वे अपनी बहिन से कहते हैं कि उन्हें लंच के लिए किसी दोस्त ने बुलाया है—जो सही नहीं है। वे दोपहर को आराम करने वापस आ जाएँगे और शाम को लोदी गार्डन चले जाएँगे।

~

बूटा हेंग ओवर से परेशान उठते हैं। उनके सिर में दर्द हो रहा है। वे चाय की चुस्की लेते हैं तो चक्कर आने लगता है। वे वाशबेसिन में उल्टी कर देते हैं। अपनी क़ै में उन्हें डिनर के ख़ाने, शराब और कोन्याक की बू आती है। तीन दफ़ा उन्हें क़ै होती है और रात का खाया-पिया सब

निकल जाता है। सिर का दर्द बढ़ता जा रहा है। वे भीगे तौलिए से मुँह पोंछते हैं, एस्पिरिन की दो गोलियाँ निगलते हैं और सोकर हेंग ओवर खत्म करने के लिए बिस्तर पर आ जाते हैं। उन्हें गहरी नींद आ जाती है और तीन घण्टे बाद आँख खुलती है–तो उनका बदन चूर-चूर हो रहा है, लेकिन सिर दर्द खत्म हो गया है। एक प्रण करते हैं कि आगे से इस तरह अपने ऊपर ज़्यादती नहीं करेंगे। वे बहादुर से कहते हैं कि एक पैकेट नॉर सूप बनाकर लाए और लंच के लिए खुश्क टोस्ट तैयार करे। यह उन्हें स्वादिष्ट लगता है। इसके बाद वे फिर बिस्तर पर आ जाते हैं और एक घण्टे की और गहरी नींद लेते हैं। इसके बाद वे अखबार खोलते हैं और टी.वी. समाचारों पर नज़र डालते हैं। फिर नहाते हैं और अपना गर्म कुर्ता-सलवार पहनकर लोदी गार्डन के लिए निकल जाते हैं–

~

"तो बड़े दिन की खबर क्या है?" बेग सवाल करते हैं।

"कुछ खास नहीं," बेगम जवाब देती हैं। "झारखण्ड में वह दाढ़ी वाला नेता, शिबू सोरेन, जिस पर रिश्वत और हत्या दोनों के आरोप हैं, फिर चीफ़ मिनिस्टर बन गया है। और पता है कैसे? भाजपा उसके साथ मिल गयी है। भाजपा के नए ब्राह्मण अध्यक्ष, नागपुर के उस मोटे से गडकरी ने नैतिकता की बड़ी-बड़ी बातें करने के बाद, उसे अपना समर्थन दे दिया है।"

"नैतिकता की यह सब बातचीत जनता को बहलाने के लिए की जाती है," बेग कहते हैं। "राजनीति में नैतिकता का क्या काम है? और क्या?"

"उस पुलिस अफसर राठौर के बारे में भी बहुत कुछ है जिसने 14 साल की रुचि के साथ बलात्कार किया। फिर जब उसका छोटा भाई

पुलिस में रिपोर्ट लिखाने लगा, तो उसे हथकड़ी पहनाकर बाज़ारों में घुमाया गया। बेचारी लड़की ने अपनी जान ले ली। पूरे उन्नीस साल बाद उसे छह महीने की जेल हुई और एक हज़ार रुपये जुर्माना। न्याय का कितना बड़ा अपमान है यह! अब चूँकि जनता शोर मचा रही है और टेढ़ा मुँह किए राठौर के फोटो अखबारों में छप रहे हैं, इसलिए उसे सज़ा मिलने की उम्मीद है। उसे तो सबके सामने कोड़े लगाए जाने चाहिए और ज़िन्दगी भर के लिए जेल में ठूँस देना चाहिए। क्या ख्याल है?''

''ये पुलिस वाले ऐसे ही होते हैं—यह कोई नई बात नहीं है। ताकत उनके दिमाग पर चढ़ जाती है और वे जो मन में आए, करते हैं। इन्हें तो ऐसा सबक सिखाया जाना चाहिए जिसे ये कभी न भूलें।''

''और उस 83 साल के बूढ़े, नारायण दत्त तिवारी, आन्ध्र प्रदेश के गवर्नर, के बारे में क्या कहना है—उसे तीन रण्डियों के साथ बिस्तर में पकड़ा गया।'' बेगम साहिबा अपना अखबार पलटती जाती हैं, ''इससे ज़्यादा और कोई मज़ेदार खबर नहीं है। बस वही दुर्घटनाएँ, चोरियाँ, बलात्कार और यही सब...।''

~

सनसेट क्लब की मीटिंग में बूटा सिंह सबसे बाद में पहुँचते हैं। शर्मा उन्हें गहरी नज़र से देखते हैं और कहते हैं, ''तुम तो बिल्कुल मुर्दे की तरह लग रहे हो। क्या हुआ है तुम्हें?''

''यह मत पूछो,'' बूटा जवाब देते हैं। ''मैं बहुत बेवकूफ़ निकला। मैं भूल गया कि अब मैं बूढ़ा हो गया हूँ।''

''बहुत ज़्यादा पी गए?'' बेग पूछते हैं। ''कोई औरत है साथ के लिए?''

''ऐसा भाग्य कहाँ? जवानी के दिनों की क्रिसमस शामों की याद करता रहा।''

"क्या बात कही है!" बेग कहते हैं। "हरेक को अपनी उम्र जाननी चाहिए और उसके हिसाब से काम करना चाहिए।"

बेग अब अपने दोस्तों की राय उस विषय पर जानना चाहते हैं, जिसने उनकी बेगम को आज सवेरे इतना उत्तेजित कर दिया था। "आप लोगों ने हरियाणा के रिटायर्ड डायरेक्टर जनरल ऑफ़ पुलिस, राठौर के बारे में पढ़ा, जिसने एक चौदह साल की स्कूली लड़की के साथ बलात्कार किया और फिर लड़की ने आत्महत्या कर ली? बूटा जी, आप सेक्स की समस्याओं में बड़े माहिर हैं, आपको इस विषय पर कुछ कहना चाहिए।"

"ठीक है, तो सुनिए," वे कहते हैं। "सब मर्द पैदायशी बदमाश होते हैं। जैसे ही वे किसी औरत को देखते हैं, जवान हो या बुड्ढी, वे उस पर सवारी गाँठना चाहते हैं। और हमारी पुलिस को लोगों को तंग करने की ट्रेनिंग दी जाती है, नहीं तो कोई उनसे डरेगा ही नहीं। मुझे यकीन है कि यह बन्दा राठौर गुण्डा भी है और जी-हुजूर भी है, खास-खास लोगों के मामले में। इसलिए वह चीफ़ मिनिस्टरों की फर्माबर्दारी में रहा और उनसे गोल्ड मेडल हासिल कर लिया। अब वह मुश्किल में है इसलिए ये लोग उसकी व्यक्तिगत ज़िन्दगी के बारे में कुछ भी जानने से मुकर रहे हैं। हरियाणा में झूठे चीफ़ मिनिस्टरों की परम्परा काफी लम्बी है। जहाँ तक राठौर का सवाल है, यह उसके जानदार भाई का ही काम है जिसे राठौर ने गिरफ्तार कराया, पिटवाया, अपमानित कराया, लेकिन फिर भी जिसने अपना कौल नहीं तोड़ा, नहीं तो पूरा मामला दब-दबा जाता और लोग उसे भूल जाते।"

बेग विरोध करते हैं—"बूटा जी, मैं बदमाश नहीं हूँ, शर्मा जी भी नहीं हैं, आप सिर्फ अपनी बात कीजिए।"

"बदमाश तो मैं भी नहीं हूँ," बूटा जवाब देते हैं। "लेकिन क्या आप इस बात से इनकार करते हैं कि हर लड़का किशोर होते ही लड़कियों की ओर आकर्षित होने लगता है। फिर वह जितना महत्त्वपूर्ण बनता जाता है, उतनी ही उसकी ज़रूरत पूरी होने लगती है। अब इस बन्दे माइकेल

जैक्सन को ही लीजिए, जिसकी मौत गर्मियों में ही हुई। जबरदस्त गाने और नाचने वाला था, दुनिया में करोड़ों उसके चाहने वाले थे। वह लौंडेबाज़ था, बच्चों के साथ सोता था, काला भूत जिसने पहले अपनी नाक ठीक कराई, फिर बाल सीधे करवाए, फिर गोरी औरत की तरह रहने लगा। एकदम बकवास आदमी लेकिन उसे दुनिया ने महानों में भी महान माना और यह गोल्फ़ का चैम्पियन, टाइगर वुड्स, यह दूसरा काला महान! यह विज्ञापनों और चैम्पियनशिप से करोड़ों-करोड़ रुपया बनाता है। यह एक महलनुमा मकान में रहता है, गोरी-चिट्टी स्कैंडिनेवियन औरत से शादी करके उससे बच्चे पैदा करता है। फिर आपे से बाहर होकर दर्जनों गोरी औरतों के साथ सोता है, और सड़क के किनारे लगे पम्प से अपनी गाड़ी टकरा देता है। उसके दाँत टूट जाते हैं और वह दुनिया को बताता है कि ज़िन्दगी को कैसे रगड़ना चाहिए।''

बूटा चुप नहीं होते–''अब इस नारायण दत्त तिवारी को देखो। ज़रूर तीसमारखाँ होना चाहिए–तीस को मारने वाला। तिरासी साल का है और क्रिसमस मनाने के लिए बिस्तर में तीन औरतें जमाता है। मैं तो कहूँगा–शाबाश, खूब किया!''

शर्मा इसमें दखल देते हैं–''वे ब्राह्मण हैं। और ब्राह्मण वह सब कर सकते हैं जो और जातियों के लोग नहीं कर सकते।''

बूटा हमला करते हैं–''शर्मा जी, आप भी तो ब्राह्मण हैं लेकिन आपकी सेक्स की कारगुजारियाँ तो डाक टिकट के पीछे ही सारी लिखी जा सकती हैं।''

शर्मा जवाब देते हैं, ''तुम मेरी सेक्स की कारगुजारियों के बारे में, जो तुम उन्हें समझते हो, क्या जानो? और मुझे औरत के बजाय और भी बातें हैं दिमाग को लगाने के लिए।''

बेग दखल देते हैं–''मैं पठान हूँ, लेकिन मैं एक को भी ढंग से सँभाल नहीं पाता। और वह भी पुरानी साथी है। मैं तिवारी को पूरे नम्बर देता हूँ–वे वासना के हीरो नम्बर एक हैं। मुझे ताज्जुब है कि वे औरतों के शौक के बावजूद ज़िन्दगी में इतने आगे बढ़ सके।''

"वे हमेशा खुशामदी टट्टू रहे हैं। संजय के जमाने में उनका नाम मशहूर था–

मैं नारायन दत्त तिवारी हूँ
मैं संजय की सवारी हूँ
न नर हूँ न नारी हूँ
इन्दिरा का पुजारी हूँ।

तीनों दिल खोलकर हँसते हैं। "वाह भाई वाह! बूटा जी, तुम्हारी याद्दाश्त बड़ी तेज़ है।" बेग फरमाते हैं। "मैं ये लाइनें न जाने कब की भूल चुका था। आज बेगम को सुनाऊँगा।"

शर्मा गम्भीर आवाज़ में कहते हैं–"तुम लोग औरत की सिर्फ वासना के बारे में सोचते हो। तुम्हें यह फिक्र नहीं सताती कि अगर ऊपर वाले सब लोग इस तरह करने लगेंगे तो देश का क्या बनेगा? तिवारी जैसे लोग क्या मिसाल कायम कर रहे हैं?"

"शर्मा जी, यह ड्रामा का एक पहलू है। औरतें बड़े लोगों के पीछे दौड़ती हैं। आप देखते होंगे कि कितनी कामकाजी औरतें अपने बॉसों के पीछे भागती हैं। एक बॉस जाता है, उसकी जगह दूसरा आता है, तो वे उसके पीछे लग जाती हैं। लेकिन हम जैसों को यह हासिल नहीं है," बेग कहते हैं।

"तुम्हारा क्या ख्याल है, तिवारी अपनी बीवी और बच्चों से कैसे मिलता होगा?" शर्मा पूछते हैं। "मैं यह जानना चाहता हूँ। और उसका एक हरामी लड़का भी बताया जाता है, जिसे वह स्वीकार नहीं करते। वह लड़के की माँ को कैसे लेते हैं? मोटी खालें होती हैं इन लोगों की। ये सिर्फ अपने मज़े की सोचते हैं और ज़्यादा ताकत पाने की सोचते हैं।"

"जब उसने गवर्नरी से इस्तीफ़ा दिया–ज़रूर सोनिया ने इसका आदेश दिया होगा–उसने कहा कि वह सेहत की वजह से इस्तीफा दे रहा है। दूसरे दिन वह अपने शहर देहरादून आता है तो उसका भव्य स्वागत किया जाता है, और वह घोषणा करता है कि उसके खिलाफ़

सब आरोप बेबुनियाद हैं और वह राजनीति में बना रहेगा। ऐसे आदमी के बारे में आप क्या कहेंगे?" बेग पूछते हैं।

"सिर्फ तिवारी को ही क्यों बुरा कहते हैं? यह काबू से बाहर मुर्गा उससे भी ज़्यादा बड़े लोगों का दुश्मन साबित हुआ है। हिन्दू लोग बिना वजह लिंगम की पूजा नहीं करते", बूटा कहते हैं।

शर्मा उत्तेजित हो उठते हैं। वे सख्ती से बूटा का प्रतिवाद करते हैं–"बूटा, तुम धार्मिक प्रतीकों के बारे में कुछ भी नहीं समझते। लिंगम वह नहीं है जो तुम सोचते हो। वह रचनात्मकता का प्रतीक है। सब धर्मों में प्रतीक होते हैं। ईसाइयों में क्रॉस है, हिन्दुओं में अक्षर 'ओइम्' है, मुसलमानों में कटा हुआ चाँद है, सिखों की खांडा-किरपान है। ये इनकी इज्ज़त करते हैं, पूजा नहीं करते। एक मिसाल है सिखों के पाँच ककारों की। आप बताइए, कच्छा या किरपान, इनका धार्मिक महत्त्व क्या हो सकता है?"

बेग बीच-बचाव करते हैं–"अब धार्मिक बहस बन्द करते हैं। कुरान कहती है, सबको प्यार करो। लेकिन मुसलमान मारने से बाज़ नहीं आते। कोई दिन नहीं जाता जब आप यह न सुनते हों कि सुन्नियों से शिया मस्जिद पर या जुलूस पर हमला नहीं किया। दूसरी तरफ से भी यही होता है। मैं यह सुनकर दुःखी हो उठता हूँ। मुझे सब धार्मिक झगड़े बेमानी और घटिया लगते हैं। इस बारे में मुझे गालिब का यह मानना सही लगता है, "मुझे प्रार्थना और ज्ञान के इनाम अच्छे लगते हैं, लेकिन मैं उनसे दूर रहना पसन्द करता हूँ।" "मेरे लिए तो सेक्स के स्कैंडल ही काफी खाना-पीना हैं।"

सूरज डूब गया है, मौसम ठण्डा होने लगा है और हवा में ओस की नमी तैरने लगी है। बेग का नौकर उनके कँधे पर शाल डाल देता है और कहता है, "मालिक सर्दी बढ़ रही है। अब घर चलिए।" वह उन्हें व्हील चेयर पर बैठने में मदद करता है। बेग अपने दोस्तों को विदा देते हैं तो शर्मा एक फ्रेंच शब्द से, जिसे वे जानते हैं, उसका जवाब देते हैं–"आ दे माँ," यानी कल मिलेंगे।

घर लौटकर शर्मा अपनी क्रिसमस की डाक से निबटने के लिए बैठते, उससे पहले उनकी बहिन पूछ बैठती हैं, "आज शाम बूटा वहाँ आए थे? उनके नौकर बहादुर ने पवन को बताया कि सवेरे वे उल्टियाँ करते रहे। फिर दिन भर ब्लैक कॉफ़ी पी और गोलियाँ खाई जिससे सिर दर्द से निजात पा सकें। पिछली शाम को उन्होंने डंगर की तरह पी होगी—और क्या?"

"हाँ, आए थे, बहुत बीमार दिख रहे थे, लेकिन चहकते रहे बुलबुल की तरह।"

शर्मा आज दाल-चावल और अण्डे की भुजिया का डिनर नहीं करना चाहते, जो उनकी बहिन उन्हें देंगी। वे धीरे से पूछते हैं, "आज डिनर के लिए क्या है?"

"आमलेट।"

शर्मा मुँह बनाते हैं—"क्रिसमस के दिन आमलेट?"

"डेज़र्ट के लिए चॉकलेट केक है। कुछ खास चाहिए तो सवेरे बताना चाहिए था।"

इससे शर्मा का पारा चढ़ गया। "कभी-कभी कुछ स्वादिष्ट चाहिए मुझे। यह उम्मीद क्या बहुत ज़्यादा है?"

वातावरण खराब हो जाता है। शर्मा अपनी ह्विस्की की बोतल खोल लेते हैं। वह टी.वी. देखने लगती है। दोनों में बातचीत नहीं होती। वे तब तक अपनी डाक देखते रहते हैं जब तक खाना नहीं आ जाता।

~

बेग अपनी बेगम को बूटा की शेरो-शायरी के बारे में बताते हैं। "इस बन्दे की याद्दाश्त ज़बरदस्त है। जो भी कहता है, उसके बारे में शेर भी फौरन सुना देता है। कल शाम बहुत ज़्यादा पी ली, इसलिए सवेरे

बीमार पड़ गया। इसलिए ग़ालिब के, जवानी के दिनों में बहुत ज़्यादा पीने और बुढ़ापे में उतनी न पी पाने के बारे में शे'र सुनाता रहा।''

''ग़ालिब के यहाँ और है ही क्या–शराब, औरत, बुढ़ापा और मौत?''

बेग प्रतिक्रिया नहीं करते, तो सकीना बोलती चली जाती हैं–''जानू, क्या मैं यह गलत कहती हूँ कि हमारे ज़्यादातर बड़े शायर रण्डीबाज़ और शराबी थे? और ग़ालिब ने अपनी बीवी उमराव बेगम की तारीफ में एक शब्द भी नहीं कहा, जिन्होंने उनके आधा दर्जन बच्चे पैदा किए, जो सब बचपन में ही चल बसे, लेकिन उन्होंने अपनी नीची ज़ात की रखैल की मौत पर शोक गीत लिखा। और उनकी सब इश्क की शायरी वेश्याओं के लिए कही गई हैं। चकले के अलावा और कहाँ वे शराब पीते हुए औरत को खुल जाने के लिए कह सकते होंगे, या नशे में होने के बहाने उनके साथ उस तरह की ज़्यादतियाँ कर सकते होंगे? और चकले के अलावा वे उनके साथ वह सब धौल-धप्पा करते रहे होंगे?''

बेग इस सब पर विचार करते हैं, फिर कहते हैं, ''तुम ठीक कह रही हो लेकिन इससे उनकी शायरी के गुणों में कहाँ फर्क पड़ता है। यह तो उन्हें अल्लाह ने ही दिया था।''

बेगम सकीना कुछ देर चुप रहती हैं, फिर फरमाती हैं, ''खैर, आपके बूटा सचमुच बड़े रंगीले सरदार हैं। इन्होंने ज़रूर अपनी जवानी में औरतबाज़ी की होगी।''

''वे दोस्त बहुत अच्छे हैं। जो भी कहते हैं, किस्से-कहानियाँ सुनाते चलते हैं, उदाहरण देते हैं और जबान भी वैसी ही गन्दी बोलते हैं। यह कहना तो मुश्किल है कि जो भी वे कहते हैं, उसमें कितना सच है, लेकिन इससे फ़र्क क्या पड़ता है। उनकी बातें सुनने में मज़ा आता है–शर्मा के बारे में यह बात नहीं कही जा सकती। मैं उनके ज्ञान की कद्र करता हूँ लेकिन उनके भाषण मुझे पसन्द नहीं हैं।''

''आप तीनों को मिलते-जुलते काफ़ी अरसा हो गया। चालीस से

ज़्यादा साल हुए होंगे—क्यों?" "कुछ याद नहीं कि हमने किस तरह और क्यों मिलना शुरू किया था। सालों तक मैं बूटा और शर्मा के सामने से सिर हिलाए बिना निकल जाता था—हालाँकि हम तीनों एक साथ शाम को कसरत के अंदाज़ में तेज़-तेज़ चलते रहते थे। फिर हमने धीमे चलना शुरू किया। मैंने उनके नाम जाने बिना दुआ-सलाम शुरू की। फिर शर्मा और मैंने चलते हुए छड़ियों का इस्तेमाल शुरू किया, और नौकर हमारे पीछे-पीछे चलने लगे। फिर हमारी चाल धीमी पड़ती गई और हम तीनों एक ही बेंच पर बैठने लगे—जो बड़े गुम्बद के सामने पड़ा है और दुनिया भर की बातें करने लगे। यहाँ जो भी लोग घूमने आते हैं, वे इसे 'बूढ़ा बिंच' कहते हैं, यानी इस पर हम तीनों बूढ़े ही बैठते हैं।" बेग एक लम्बी आह भरते हैं और कुर्सी पर आराम से लेट जाते हैं। नौकरानियाँ ज़मीन पर उकड़ूँ बैठकर उनके पैर दबाने लगती हैं। उनका नौकर चाँदी की ट्रे में स्कॉच और सोडा लेकर आता है। बेग अपने लिए पेग बनाते हैं। उनकी बेगम अपनी नाक तक दुपट्टा खींच लेती हैं और टी.वी. देखने लगती हैं।

~

नए साल की शाम को तीनों दोस्त 'बूढ़ा बिंच' पर बैठे धूप खा रहे हैं, आँखें बन्द हैं और पैर सामने फैले हैं। वे बात करने के मूड में नहीं हैं। वे अँगड़ाई लेते हैं और लम्बी साँसें भरते हैं। डब्बू तीन अपने मालिक की बगल में गहरी नींद में सोया है। बेग के नौकर बेंच के कुछ फुट पीछे लॉन में सो रहे हैं। बाग में और भी बहुत से लोग हैं; कुछ चहलकदमी कर रहे हैं, कुछ घास पर आराम से लेटे हैं। बच्चे इधर-उधर दौड़ रहे हैं। चारों तरफ शान्ति का वातावरण है।

बेग फिर अँगड़ाई लेते हैं और कहते हैं, "या अल्लाह! साल कितनी जल्दी गुज़र गया। लगता है, पिछला नया साल कल ही मनाया था। 2009 में बहुत कुछ हो गया। उसका जायज़ा लिया जाए।"

"2009 में कुछ खास क्या हुआ," शर्मा कहते हैं। "जगह-जगह बम फूटते रहे; ज़रूरी चीज़ों की कीमतें हर रोज़ बढ़ती ही चली गई; नक्सली पुलिस वालों को मारते रहे, पुलिसवाले नक्सलियों को मारते रहे और सरकार कहती रही कि सब कुछ ठीक चल रहा है। भारत चमक रहा है क्योंकि आम आदमी खुश है। मैं भी आम आदमी हूँ, लेकिन मैं आज के हालात से खुश नहीं हूँ।"

"पण्डित, तुम क्या कभी भी खुश रहते हो?" बूटा ने सवाल किया। "आम चुनाव हुए जिनमें फंडूस लोगों ने धूल चाटी। पहली दफा योग्य लोगों का मन्त्रिमण्डल बना है—इनमें से किसी पर भी पैसे बनाने का इल्ज़ाम नहीं है। हम अपने सब पड़ोसियों से अच्छा काम कर रहे हैं। नज़ारा उतना बुरा नहीं है जितना तुम उसे बता रहे हो। ज़िन्दगी का उजला पहलू भी देखो।"

बेग बूटा से सहमत हैं। "हमें मानना पड़ेगा कि काफ़ी भ्रष्टाचार के बावजूद देश बहुत से क्षेत्रों में आगे बढ़ रहा है। हमेशा सरकार की निन्दा करने के स्थान पर विरोधी दल अगर कभी-कभी उसकी मदद भी करें, तो उन्नति और भी हो सकती है।"

बूटा शर्मा के निराशावादी दृष्टिकोण के विरुद्ध बोलना शुरू करते हैं—"पण्डितजी, आपने आज सवेरे के अखबारों में पढ़ा होगा कि रीता कौशल नाम की भारतीय लड़की दक्षिणी ध्रुव पर पहुँच गई है और वहाँ उसने अपना झण्डा लहरा दिया है। इससे आपको भारतीय स्त्रियों पर गर्व नहीं होता?"

"ब्राह्मण," शर्मा कहते हैं।

बूटा इस पर भड़क उठते हैं। "इस पर आपको यही कहना है—ब्राह्मण? भारतीय लड़कियाँ एवरेस्ट पर भी चढ़ी हैं। उनमें से कोई ब्राह्मण थी या नहीं, मैं नहीं जानता। और अब हमारा राष्ट्रपति स्त्री है, लोकसभा की स्पीकर भी स्त्री है—और वह अछूत जाति की है। हमारी स्त्रियाँ केबिनेट मन्त्री हैं, मुख्यमन्त्री हैं, राज्यों में गवर्नर हैं, विदेश सचिव

हैं, सुरक्षा सेवाओं में कमाण्डर हैं, यूनिवर्सिटी की वाइस चांसलर हैं—इनमें से कुछ ब्राह्मण हैं, बाकी नहीं हैं। क्या आप किसी और देश के बारे में बता सकते हैं जहाँ की स्त्रियों ने इतनी उन्नति की हो?"

शर्मा काट करते हैं—"साथ ही हमारे यहाँ लड़कियों की भ्रूण हत्याएँ की जाती हैं, नवजात बच्चियों को गाढ़ दिया जाता है। आपको यह जानकारी होनी चाहिए क्योंकि आपके सिख जाट और हरियाणा के जाट ही इस मामले में सबसे ज़्यादा दोषी हैं। सरकारी प्रचार पर यकीन मत कर लीजिए—यथार्थ में जो हो रहा है, उस पर ध्यान दीजिए।"

~

बेग के घर में नए साल की शाम क्रिसमस की शाम से ज़्यादा भिन्न नहीं दिखाई देती। न कोई जलसा है, न विशेष खाना। बेग जब अपनी बेगम को याद दिलाते हैं, कि आज 2009 का आखिरी दिन है, तो वे कहती है, "मैं जानती हूँ। यह ईसाई केलेण्डर से है, हम हिजरी को मानते हैं। आज मुहर्रम की 13वीं तारीख है। इसे हम नए साल की तरह नहीं मनाते।"

बूटा नए साल की शाम मनाने के लिए क्लेयर दत्त से डिनर भेजने का ऑर्डर देते हैं, ये ऐंग्लो-इण्डियन हैं जो खाना बनाने के लिए मशहूर हैं। इस दफा वे कहती हैं, "आप मेरे ऊपर छोड़ दीजिए। मैं कोई नई चीज़ बनाऊँगी।" बूटा शर्मा को निमन्त्रित करते हैं—वे हमेशा अच्छा खाना खाने के लिए तैयार रहते हैं और बूटा तो अच्छे मेज़बान हैं ही। वे बेग को कभी नहीं निमन्त्रित करते—वे इस तरह की पार्टी के लिए सही नहीं हैं।

शर्मा आते हैं। उनके दाहिने हाथ में छड़ी है, नौकर पवन बायाँ हाथ थामे है, डब्बू तीन पीछे-पीछे आराम से चला आ रहा है। पवन उन्हें बूटा की कुर्सी के सामने ही रखी एक आराम कुर्सी में बिठा देता है, उनकी

छड़ी उनके पीछे रख देता है और खुद किचेन में बूटा के नौकर के साथ जाकर बैठ जाता है, जो फ्लैट का दूसरा सबसे गर्म कमरा है।

"तो यह साल भी खत्म हुआ," शर्मा अपनी ऊँचा सुनने की मशीन कानों में लगाकर कहते हैं। "मैंने नहीं सोचा था कि इस दिन तक ज़िन्दा रहूँगा। क्या ख्याल है तुम्हारा?"

बूटा गालिब के शेर का हवाला देते हैं जिसमें उन्होंने ज़िन्दगी को रेस के घोड़े की मिसाल दी है, जिसकी बाग हमारे हाथ में नहीं है, फिर कहते हैं, "लेकिन आज नए साल की शाम इस पर बात करने की क्या ज़रूरत है? सिंगिल माल्ट सोडा के साथ या पानी के?"

"नहीं, नीट–सिंगिल माल्ट शुद्ध ही अच्छी लगती है।"

बूटा दो बड़े पेग कट-ग्लास टम्बलर्स में ढालते हैं और अपने गिलास में सोडा और बर्फ मिलाते हैं। फिर गिलास ऊपर उठाकर दोनों आपस में खड़काते हैं और कहते हैं, "चियर्स, हैपी न्यू इयर टु यू!" यह कहने के बाद शर्मा इसमें जोड़ते हैं, "लेकिन खुश होने के लिए है क्या? मैं अपने दोस्तों के बारे में सोचता हूँ, तो तुम्हारे अलावा और कोई अब ज़िन्दा नहीं है।"

"ठीक तो है," बूटा कहते हैं, "हम ज़िन्दा हैं, क्या यही आज इसे मनाने की काफी वजह नहीं है?" फिर वह थॉमस मूर की भावपूर्ण कविता दोहराता है–

इस चुप रात में अक्सर
नींद की ज़ंजीर कसी जाने से पहले
मुझे उन दिनों की याद आती है,
बचपन के दिनों की वे मुस्कानें, वे आँसू,
प्यार में कहे गये वे शब्द,
वे चमकती हुई आँखें,
जो अब बुझ चुकी हैं या बन्द हो गई हैं,

और वे दिल, वे हमेशा खुश दिल,
जो अब टूट गये हैं।

"हाँ, ठीक कहा तुमने...टूटे हुए दिल, जिन्हें खुश होने के लिए कुछ नहीं रहा," शर्मा कहते हैं।

ठीक आठ बजे क्लेयर दत्त का आदमी डिनर लेकर आता है, बिल के साथ। डेज़र्ट के पैसे नहीं लगाए गए। बूटा नक़द पैसे देते हैं, बढ़िया टिप भी उसमें जोड़ देते हैं और नौकर से उसे गर्म करके आधे घण्टे में परोस देने को कहते हैं। बूटा अपने दोस्त और खुद के लिए एक-एक पेग और ढालते हैं। फिर बारोलो की एक बोतल खोलकर आग के पास रख देते हैं जिससे कमरे के तापमान पर आ जाए।

दोनों में से कोई पहचान नहीं पाता कि प्रमुख डिश क्या है। ऊपर से देखने पर चिकेन का कलेजा, कॉर्न और ब्रोकोली लगते हैं। स्वाद बहुत अच्छा है। दोनों दोबारा लेते हैं। डेज़र्ट में प्लम की पुडिंग है। बूटा इसके ऊपर ज़रा सी कोन्याक डालते हैं और आग लगा देते हैं। नीले रंग की लौ निकलने लगती है। दोनों खूब डटकर खाते हैं, फिर भी इतना बच रहता है कि बूटा के तीन डिनरों के लिए काफी होगा।

शराब और खाने का मेल दोनों को नशा दे देता है। रात के नौ बज गए हैं, जो बूढ़ों के लिए बिस्तर पर जाने का समय है—लेकिन अब दिल्ली वाले होटलों और रेस्तराओं के लिए निकलते हैं, जहाँ वे रात भर नए साल का जश्न मनाएँगे। शर्मा ज़रा लड़खड़ाकर अपनी छड़ी पकड़ लेते हैं और बूटा वाल्टर सैवेज लेंडर की अपनी प्रिय कविता सुनाते हैं—

मैंने किसी के साथ कुछ नहीं किया,
क्योंकि कोई मेरी लड़ाई के लायक नहीं था;
प्रकृति को प्यार किया, प्रकृति के बाद कला को,
ज़िन्दगी की आग में दोनों हाथ गरम किये;
अब वह डूब रही है, मैं भी तैयार हूँ जाने के लिए।

"और मैं भी हूँ, एक से ज़्यादा ढंगों से...चियर्स!" शर्मा चिल्लाकर कहते हैं—"पवन, चलो; डब्बू, चलो।" पवन उन्हें सहारा देता है और तीनों कमरे से बाहर निकल जाते हैं।

~

शर्मा के चले जाने के बाद बूटा आग के पास अपनी आराम कुर्सी में देर तक बैठे रहते हैं। वे इंग्लैण्ड में बिताए अपने दिनों के बारे में सोचते रहते हैं। यादें उन्हें सताने लगती हैं—कितना मज़ा आता था—पीना, नाचना, गाना और ऐश करना। जब आधी रात होती, सारी भीड़ 'ओल्ड लेंग साइन' ज़ोर-ज़ोर से गाने लगती। सब एक-दूसरे के गले मिलकर और लड़कियों का चुम्बन लेकर नए साल का स्वागत करते।

भारतीय अपने होटलों और शानदार क्लबों में उसी तरह का वातावरण उत्पन्न करने की कोशिश करते हैं। पहले कुछ नए साल की शामों को बूटा और उनकी पत्नी जिमखाना क्लब या गोल्फ़ क्लब जाया करते थे। वे पीते भी खूब थे और नाचते भी खूब थे। आधी रात को एक मिनट के लिए रोशनियाँ बुझा दी जातीं और आप जिस औरत को चाहे—जो खुद भी चाहती हों—चूम सकते थे। पत्नी की मृत्यु के बाद भी बूटा इनमें से किसी क्लब में जाते रहे। वे आधी रात तक डटकर पीते और दूसरे दिन हेंग ओवर लेकर घर पर पड़ जाते। आखिरी दफ़ा वे गोल्फ़ क्लब गए, तो हमेशा से इतनी ज़्यादा पी गए और एक दक्षिण भारतीय औरत के साथ, जिसे वे मामूली-सा जानते थे और जिसके गालों को चूम चुके थे, टेंगो करते रहे। अब जब रोशनियाँ बुझाई गईं तो उन्होंने उसके ओंठ चूम लिए। उसने उनके मुँह पर चाँटा मारा और कहा, "तुम्हारी यह हिम्मत कैसे हुई?" और उनसे अलग हो गई। बूटा बहुत शर्मिंदा होकर घर लौटे और देर तक बड़बड़ाते रहे, "कुतिया! कुतिया! अब उससे

फिर कभी नहीं मिलूँगा।" इसके बाद फिर वे कभी नए साल की शाम की पार्टी में नहीं गए।

साढ़े नौ बजे तक बूटा अपनी हॉट वाटर बॉटिल लेकर बिस्तर पर चले गए। आधी रात के समय सड़कों पर लोगों के शोर से उनकी नींद खुल जाती है। उनको पता चल जाता है कि 2009 खत्म हो गया है और 2010 शुरू हो गया है। वे फिर सो जाते हैं।

वर्ष 2009 को नीले चाँद का वर्ष कहा जाता है, इसका कारण यह है कि इस वर्ष दिसम्बर में दो दफ़ा चाँद पूरा दिखाई दिया—पहला 2 दिसम्बर को और दूसरा नए साल के पहले दिन। ऐसी घटना बहुत कम होती है और लोग इसे शुभ शकुन मानते हैं। लेकिन दिसम्बर में एक चन्द्र ग्रहण भी पड़ा, जिसे अशुभ माना जाता है। इसलिए कोई नहीं जानता कि 2010 कैसा होगा—यह अभी भी देवताओं की गोद में है—यदि देवता सचमुच होते हों।

13
सूर्यास्त हो गया

हमने 26 जनवरी 2009 से अपनी कहानी शुरू की थी और अब हम इसे 26 जनवरी 2010 को खत्म करेंगे। इन दोनों जनवरियों के मौसम में कोई अन्तर नहीं है। सवेरे हड्डियों को जमाने वाली सर्दी और आसमान में कोहरा, पीला सा सूरज धीरे-धीरे निकलता और काफी देर बाद हड्डियों को गरमाहट देता। अच्छे खाते-पीते घरों में बिजली के रेडियेटर लगे हैं, लकड़ी के कुंदों में आग जल रही है, ह्विस्की पी जा रही है, रजाइयों में लोग दुबके बैठे हैं और उनमें भी लोगों को गर्म रखने के लिए गर्म पानी की बोतलें रखी हैं। लेकिन गरीब लोग सारी रात फुटपाथों पर पड़े रहते हैं। इनमें से कई ठण्ड से मर जाते हैं और अखबार उनकी खबर छापते हैं।

नया साल भारत और पाकिस्तान दोनों के लिए बुरी खबरें लेकर आया है। पेशावर में एक तालिबान ने वॉलीबॉल के मैच में बम फोड़ दिया। उसने बत्तीस दर्शक मार डाले और करीब सत्तर घायल कर दिए। फिर खुद भी अपनी जान दे दी। यह पागलपन कब खत्म होगा? उसी दिन भारत ने अपना सबसे मशहूर जंगली जीवन का रक्षक, बिली अर्जन

सिंह खो दिया। उसकी उम्र 92 साल थी और वह घने जंगल में बने अपने बंगले में शेर, चीतों और तेन्दुओं के बीच अकेला रहता था। उसे कोई हानि नहीं पहुँचाता था, क्योंकि वह उनका दोस्त था। यह अपनी तरह का अलग आदमी था। कपूरथला परिवार की ईसाई शाखा में उत्पन्न इस आदमी पर सेंट फ्रांसिस ऑफ़ एसिसी का प्रभाव पड़ा था और यह दुनिया को दिखाना चाहता था कि अगर आप पशुओं और पक्षियों को अपना प्यार दें, तो वे भी आपको उसी तरह प्यार करेंगे। इस तरह के लोग अब बहुत कम पाए जाते हैं।

एक ठण्डी, कोहरे से भरी सुबह को शेख हसीना, बंगलादेश की प्रधानमन्त्री, सरकारी यात्रा पर भारत आईं। दिल्ली में गर्मजोशी से उनका स्वागत किया गया। उनके पिता की पाकिस्तान-समर्थकों के द्वारा हत्या किए जाने के बाद दोनों देशों के सम्बन्ध दुश्मनी के हो गए थे। उनके पिता, शेख मुजीबुर रहमान, जिन्हें लोग प्यार से 'बंगबंधु' कहते थे, स्वतन्त्र बंगलादेश के निर्माता थे। भारत ने सीमा से आगे बढ़कर उनकी सहायता की थी और मुक्ति बाहिनी बनवाकर पाक सेना को हराया था। शेख मुजीबुर रहमान के बाद बंगलादेश और उसके शासकों ने पाकिस्तान का समर्थन करके भारत के प्रति जबरदस्त कृतघ्नता दिखाई थी। शेख हसीना ने भारत के पक्ष में यह रुख मोड़ा। इसलिए उनका स्वागत करने का अच्छा कारण था।

दो दिन बाद, 12 जनवरी के दिन, हैटी में एक ज़बरदस्त भूकम्प आया, जिसने उसके प्रमुख नगर पोर्ट-ऑ-प्रिंस को तहस-नहस कर दिया। यह इतिहास का एक सबसे भयंकर भूकंप था और इसमें बीस हज़ार लोग मारे गए। हैटी के लोगों ने ऐसी सज़ा पाने के लिए क्या किया था? महान शक्तिशाली और दयावान ईश्वर इस समय कहाँ था?

शायद वह कुंभ मेले में बर्फ की तरह ठण्डे पानी में डुबकी लगाने हरिद्वार गया था। शायद वह हैटी में किए गए अपने पापों को धो रहा था। जैसी आशा थी, कुंभ मेले में नहाने वालों की संख्या लाखों-करोड़ों

में थी। लेकिन उसने इस बार यहाँ कोई हादसा नहीं होने दिया और निर्दोष स्त्री-पुरुषों को सुरक्षित रखा—शायद इसलिए क्योंकि वह खुद इन लोगों में था। जो हो, उसने अपना खेद व्यक्त करने के लिए एक सूर्य-ग्रहण का आयोजन किया।

17 तारीख को पश्चिम बंगाल के पूर्व मुख्यमन्त्री ज्योति बसु का देहान्त हो गया। वे लम्बे समय से बीमार थे, इसलिए देश भर के नेताओं को उनके पास आकर उनसे सद्भावना व्यक्त करने का काफ़ी समय मिलता रहा। प्रधानमन्त्री से मुख्यमन्त्री तक ये लोग दल बनाकर आते थे और सामान्य लोग भी, जो उनके साथ अपने फोटो खिंचवाना चाहते थे। वे तेईस लम्बे सालों तक प्रदेश के मुख्यमन्त्री रहे थे। उन्होंने प्रदेश के लिए कुछ नहीं किया, बल्कि ट्रेड यूनियनों को अपने यहाँ के उद्योगों में हड़तालें कराकर और उनके मालिकों को काम न करने देने की खुली छूट देकर, सारे राज्य के उद्योगों को समाप्त कर दिया। लेकिन वे लम्बे समय तक इस पद को घेरे रखने में सफल हुए। कोलकाता के लोगों ने उनका शानदार जुलूस निकाला, सैनिकों ने आखिरी सलामी दी और पार्टी कामरेडों ने मुट्ठी बाँधकर उन्हें अपना सलाम दिया।

कोहरा और ठण्ड दिनोंदिन बढ़ती जा रही थी। 24 तारीख को सवेरे यह बहुत ज़्यादा हो गया, जिससे यह डर पैदा हो गया कि 26 जनवरी को होने वाली गणतन्त्र दिवस की परेड को खतरा पैदा हो जाएगा। अनेक विमान और रेल सेवाएँ बन्द करनी पड़ीं। लेकिन 26 तारीख को सवेरे आठ बजे कोहरा छँट गया और दक्षिण कोरिया के राष्ट्रपति ने, जो इस वर्ष की परेड के विशेष अतिथि थे, अपनी आँखों से देखा कि भारत अपने शत्रु देशों का सामना करने में कितना सक्षम है।

~

हम अपने मुख्य विषय से भटक गए हैं। सनसेट क्लब का क्या हुआ? यह पहली और दूसरी जनवरी को हमेशा की तरह एकत्र हुआ। इसके सदस्यों ने साल के पहले दो दिनों की घटनाओं की बाकायदा समीक्षा की।

तीन तारीख को सवेरे बेग मंज़िल में सवेरे की नमाज़ के लिए सब लोग जाग गए हैं और नवाब साहब की ज़ोरदार 'या अल्लाह' का इन्तजार कर रहे हैं, जिसे वे अपनी बाँहें सीधी करके अँगड़ाई लेते हुए लगाएँगे, जिसका अर्थ यह होगा कि अब सबके जाग जाने और अपने-अपने कामों में लग जाने का वक्त हो गया है। लेकिन यह आवाज़ सुनाई नहीं देती। बेगम साहिबा नीचे उतरकर आती हैं और दिन के कामों का आदेश जारी करती हैं—वे दोपहर और शाम के खाने का मीनू घोषित करती हैं। मीट, चिकेन और सब्जियाँ खरीदने के लिए पैसे देती हैं और बाकी नौकरों को भी बताती हैं कि आज उन्हें क्या-क्या करना है। इस सबमें आधा घण्टा गुज़र जाता है।

फिर बेगम साहिबा एक नौकरानी से कहती हैं कि वह चाय लेकर नवाब साहब के कमरे में उन्हें जगाने के लिए जाए। फिर ज़मीन पर ट्रे गिरने और कप टूटने की आवाज़ें आती हैं और नौकरानी की चीखें सुनाई देती हैं। "हाय अल्लाह! यह क्या हो गया!" बेगम साहिबा और नवाब साहब के नौकर उनके कमरे की तरफ भागते हैं। उनकी आँखें और मुँह आधा खुला है। वे मर चुके हैं। बेगम साहिबा दहाड़कर रोने लगती हैं—"बरकू, यह क्या हुआ? तुम मुझे छोड़कर चले गए?" वह अपनी छाती पीटने लगती हैं और माथे पर हाथ मारती हैं। नौकर एक-दूसरे के गले मिलते हैं और ज़ोर-ज़ोर से रोते हैं।

काफी देर बाद बेगम सकीना अपने ऊपर काबू पाती हैं और अब क्या करना है, यह लोगों को बताती है—"सब रिश्तेदारों और दोस्तों को खबर कर दो।" वे कहती हैं। "और अखबारों को भी बता दो।" यह सुनकर सभी नौकर दोनों मोबाइल फोनों और लेंडलाइन पर लोगों को फोन करना शुरू कर देते हैं।

बूटा अपने गर्म किए बेडरूम में गद्देदार कुर्सी पर लेटे हैं। वे छहों दैनिक अखबारों की, जो उन्हें रोज़ प्राप्त होते हैं, सुर्खियों पर नज़र डालने के बाद अब क्रासवर्ड पहेलियाँ सुलझाने में लगे हैं, कि दूसरे कमरे में रखा टेलीफोन बजना शुरू हो जाता है। वे कभी टेलीफोन नहीं उठाते। वह तब तक बजता रहता है, जब तक बहादुर उसे उठा नहीं लेता। फिर वह कार्डलेस फोन उनके पास लाता है,

बूटा कार्डलेस ले लेते हैं। दूसरी तरफ से आवाज़ पूछती है, ''क्या ये सरदार बूटा सिंह जी बोल रहे हैं?''

''हाँ,'' बूटा जवाब देते हैं, ''फरमाइए।''

''साहब बुरी खबर है। आज सवेरे नवाब साहब अल्लाह को प्यारे हो गए।''

''आप क्या कह रहे हैं,'' बौखलाए हुए बूटा कहते हैं। ''कल शाम को ही मैं उनसे बात कर रहा था। उनकी सेहत एकदम ठीक थी।''

''अल्लाह जानता है,'' नौकर जवाब देता है। ''सवेरे जब नौकरानी उनकी चाय लेकर गई, वे जा चुके थे। वह बेतहाशा चिल्लाई, ''हाय अल्लाह।'' और हम सब बेडरूम की तरफ़ दौड़ पड़े। बेगम साहिबा ने आपको बताने को कहा है कि तीन बजे उनकी क्रिया होगी। उन्हें निज़ामुद्दीन की अपनी कब्रगाह में दफनाया जाएगा। आप पण्डित शर्मा को भी खबर कर दें।'' उसकी आवाज़ यह कहते हुए घुटी जा रही थी।

बूटा आँखें बन्द कर लेते हैं। आँसू गालों से बह-बहकर दाढ़ी में गिर रहे हैं। वह सुबकियाँ लेते हैं और आँसू थमने का नाम नहीं ले रहे। उन्हें अपने को काबू में करने में आधा घण्टा लग जाता है। वे महसूस करते हैं कि वे फोन पर शर्मा को यह खबर नहीं दे सकेंगे। वे एक पर्ची पर खबर लिखकर बहादुर को दे देते हैं कि शर्मा के यहाँ दे आए। इसमें लिखा है—''अभी बेग के यहाँ से फोन आया। आज सवेरे सोते में ही वे गुज़र गए। तीन बजे क्रिया है। मुझे ढाई बजे ले लेना। —बूटा।''

ढाई बजे शर्मा का ड्राइवर बूटा की घण्टी बजाता है। बूटा गाड़ी

में बैठ जाते हैं। शर्मा पूछते हैं, "हुआ क्या था? कल शाम तो ठीक थे।"

"मुझे कुछ पता नहीं," बूटा जवाब देते हैं। "नौकर ने सिर्फ इतना बताया कि कि सवेरे जब नौकरानी चाय लेकर गई, वे जा चुके थे।"

दोनों चुप थे। बेग मंज़िल के सामने बहुत सी गाड़ियाँ खड़ी हैं। फाटक बन्द है। शर्मा और बूटा गाड़ी से निकलते हैं और भीतर चले जाते हैं। सामने का लॉन टोपियाँ लगाए और शलवार-कमीज़ पहने लोगों से भरा है। कुछ लोग सूट पहने हैं। शर्मा और बूटा वरांडे में ले जाए जाते हैं जहाँ बेगम साहिबा मातम करने आई औरतों से मिल रही हैं। अब तक दोनो में से किसी ने बेग की बीवी की शक्ल नहीं देखी है। वे गोरी और मोटी हैं और पचहत्तर के आस-पास लगती हैं। बूटा को यह कहावत याद आती है, "खण्डहर बता रहे हैं कि इमारत बुलन्द थी।" उनकी आँखें रोने से लाल हो रही हैं लेकिन अपने पर काबू दिख रहा है। बूटा के आँसू फिर बहना शुरू हो जाते हैं और वे अपने हाथ मसलने के सिवा और कुछ कर नहीं पा रहे। शर्मा छोटी-सी स्पीच दे डालते हैं–"हमें उनके इस तरह चले जाने से बहुत धक्का लगा है। चालीस साल पुरानी हमारी दोस्ती एकदम खत्म हो गई। ईश्वर के काम कोई नहीं जानता।"

बेगम जवाब देती है, "शुक्रिया। हर शाम जब लोदी गार्डन से वापस लौटते थे, आप दोनों की ही बातें करते रहते थे। आप नमाजे-जनाज़ा का इन्तज़ार न करें–आने के लिए शुक्रिया।"

बूटा एक शब्द भी नहीं बोल पा रहे, उनका हृदय शोक से भरा है। बेगम साहिबा को उनकी भावना छू जाती है।

लॉन में लोग शाम की नमाज़ के लिए लाइन लगा रहे हैं। शर्मा और बूटा उनके बगल से गुज़रते हुए कार की तरफ चले जाते हैं। वे बिना एक शब्द बोले घर पहुँच जाते हैं।

~

इसके बाद तीन दिन, मानो आपस में समझौता हो गया हो, दोनों में से कोई पार्क नहीं जाता। बेग के बिना सनसेट क्लब पहले जैसा नहीं रहा। बूटा अपने घर के सामने के मैदान में एक चक्कर लगाते हैं। अब कुछ अच्छा नहीं लग रहा; लड़के-लड़कियाँ बैडमिंटन खेलते हुए शटल के पीछे भाग-दौड़ रहे हैं और उनके कुत्ते उनके पीछे हैं। शर्मा शाम को खान मार्केट का चक्कर लगाते और दुकानों के भीतर झाँकते घूम रहे हैं। मार्केट की हमेशा खुदाई चलती रहती है। जगह-जगह लगे ईंटों के ढेर लोगों को फुटपाथों से अलग रखते हैं। पार्किंग के लिए कोई जगह नहीं है, इसलिए गाड़ियाँ भीतर और बाहर के दरवाजों से आती-जाती रहती हैं। कई जगह कॉमनवेल्थ गेम्स के लिए फुटपाथों पर काम हो रहा है।

शर्मा ने अपने लिए मुसीबत पैदा कर ली है। 10 जनवरी 2010 की शाम घर लौटते हुए वे टूटे हुए फुटपाथ पर पड़े एक बड़े से पत्थर से टकराकर सड़क पर गिर पड़ते हैं। वे उठ नहीं पाते; उनकी कमर की हड्डी टूट गई है। पवन उन्हें घसीटकर रास्ते तक लाता है, जहाँ मदद मिल सकती है। दुकानदार दौड़ते हुए मदद करने के लिए आते हैं। ज़्यादातर लोग उन्हें जानते हैं क्योंकि वे सालों से यहाँ रह रहे हैं। कुछ मिनट बाद उनका भतीजा कार लेकर आ जाता है। वह और पवन दोनों मिलकर उन्हें उठाते हैं और कार की पिछली सीट पर लिटा देते हैं। वे सुनीता को भी ले लेते हैं और मल्होत्रा नर्सिंग होम पहुँच जाते हैं। दो डॉक्टर उनकी जाँच करते हैं, एक्स-रे लिए जा रहे हैं, और फैसला होता है कि कल सवेरे ऑपरेशन किया जाएगा। शर्मा रात भर दर्द से कराहते रहते हैं और करवट भी नहीं ले पाते। सुनीता, पवन और उनका भतीजा, तीनों नर्सिंग होम में रात गुजारते हैं। दूसरे दिन सवेरे शर्मा का भतीजा बूटा को फोन करके दुर्घटना की खबर देता है और बताता है कि इस वक्त वे कहाँ हैं।

बूटा तुरन्त नर्सिंग होम पहुँच जाते हैं। शर्मा अभी भी ऑपरेशन

थिएटर में हैं। एक घण्टे बाद उन्हें कमरे में लाया जाता है और अभी भी वे अनेस्थीशिया में हैं। वे दर्द से कराह रहे हैं। बूटा उनकी बगल में बैठकर उनका हाथ पकड़ लेते हैं। शर्मा की बहिन दूसरी तरफ बैठकर उनका दूसरा हाथ थाम लेती हैं। शर्मा हाथ खींच शरीर को स्वस्थ करते हैं। उनकी बहिन कड़ाई से पूछती हैं, ''इतनी रात को खान मार्केट जाने के लिए किसने कहा था? नतीजा देख रहे हो?''

एक डॉक्टर आता है और पूछता है, ''अब कैसा लग रहा है? ऑपरेशन सही रहा। हमने आपकी टूटी हुई हड्डियाँ जोड़ दी हैं। ठीक से जुड़ पाने में थोड़ा वक्त लगेगा।''

बूटा कहते हैं, ''डॉक्टर साहब, इन्हें दर्द की गोली क्यों नहीं दे देते? काफी तकलीफ़ है।''

डॉक्टर उन पर तीखी नज़र डालता है। ''गोली दे रहा हूँ। मुझे अपना काम पता है।''

बूटा दोपहर के बाद उनके कमरे से निकलते हैं। ''कल आऊँगा। जल्दी ठीक हो जाओगे।''

बूटा अगले दो दिन नर्सिंग होम में बिताते हैं और अखबारों से पढ़कर खबरें सुनाते हैं। उन्हें चेतन करने के लिए नए सेक्स स्कैंडल और स्वामियों की कारगुजारियाँ उन्हें बताते हैं। शर्मा का दर्द घटता नज़र आता है और लगता है कि ठीक हो रहे हैं। जब कमरे में कोई नहीं होता, तो वे मुस्कराकर बूटा से कहते हैं, ''पता है, क्या हुआ?''

''क्या हुआ?''

''तुम यकीन नहीं करोगे। वह लक्ष्मी, याद है? जो मुझसे शादी करना चाहती थी? आज सवेरे आई थी। अब उसकी शादी हो चुकी है, दो बच्चे भी हैं। उस वक्त कमरे में कोई नहीं था। वह मेरे बिस्तर पर बैठ गई और ओठों पर मुझे चूमा। फिर अपना ब्लाउज़ खोला और बोली, ''मुझे यहाँ चूम लो।'' और अपनी छातियाँ मेरे ओठों पर रख दीं। यकीन करोगे?''

“किस्मत वाले हो,” बूटा ने कहा।

जब डॉक्टर आते हैं, बूटा, जितनी नम्रता से सम्भव है, उससे पूछते हैं, “डॉक्टर साहब, अब इन्हें डिस्चार्ज कब करेंगे?”

डॉक्टर खुश्की से जवाब देता है, “जब ये जाने लायक हो जाएँगे।”

“बदतमीज़,” जैसे ही डॉक्टर बाहर निकलता है, बूटा बड़बड़ाते हैं। “मैं तो नरमी से कुछ पूछता हूँ, लेकिन यह भूँकना शुरू कर देता है।”

शर्मा कहते हैं, “ख्याल मत करो। व्यस्त आदमी है। और मेरे लिए अच्छा काम किया है।”

दूसरी शाम शर्मा को अस्पताल से छुट्टी मिल जाती है और वे घर आ जाते हैं। डॉक्टर दो दिन बाद घर आकर देखने का वादा करता है, कि ठीक हो रहे हैं या नहीं। बूटा अब उनके घर नहीं जा रहे क्योंकि यह रिश्तेदारों और दोस्तों से भरा हुआ है।

15 जनवरी की शाम बूटा घर पर अपनी आराम-कुर्सी में बैठे यह फैसला नहीं कर पा रहे कि सामने के बड़े लॉन का एक चक्कर लगाएँ या अपने ही पीछे के बाग के दो चक्कर काट लें। शर्मा की भतीजी भीतर आती है, उनकी कुर्सी के पास मूढ़े पर बैठ जाती है और उनका हाथ थाम लेती है। “क्या बात है?” वे पूछते हैं।

“मैंने सोचा कि मैं खुद आकर आपको खबर दूँ। अंकल दो घण्टे पहले चले गए।”

“नहीं, नहीं, नहीं,” बूटा कराह उठते हैं, उनकी आँखों से आँसू झरने लगते हैं। उनके मुँह से शब्द नहीं निकल रहे और वे रोते हुए अपने हाथों को मसलते रहते हैं। शर्मा की भतीजी उनके हाथ पकड़े रहती है, दस मिनट तक वहाँ बैठती है, फिर चुपचाप चली जाती है।

बूटा शर्मा की क्रिया में शामिल नहीं होते, सिर्फ अपने कमरे में बैठे दीवार से लगी किताबों को ताकते रहते हैं। एक हफ्ते तक यह चलता रहता है। वे अखबारों में शर्मा के लिए निकलने वाले शोक-सन्देश पढ़ते रहते हैं। प्रधानमन्त्री और अन्य बड़े नेताओं ने उन्हें श्रद्धांजलियाँ दी हैं।

चिन्मयानंद हॉल में प्रार्थना सभा भी आयोजित की गई है। वे इसमें न जाने का फैसला करते हैं क्योंकि वे जानते हैं कि वे ठीक से व्यवहार नहीं कर सकेंगे।

वे अपने से बात करते रहते हैं। उन्हें जीवन–और मृत्यु–की सचाइयों को स्वीकार करना चाहिए। बेग और शर्मा दोनों की ज़िन्दगी अच्छी रही और दोनों ने आम भारतीयों से ज्यादा साल जीवन के पाए। उनकी उम्र उतनी ही है। अब उनका भी समय आ रहा है। कब? पता नहीं।

वह टेलीफोन की अपनी किताब खोलते हैं और ए से जेड तक सब पृष्ठों पर नज़र डाल जाते हैं। हर दूसरे और तीसरे नाम के नीचे एक लाइन खिंची है और उसके नीचे तारीख लिखी है–डी. 1981, डी. 1985, डी. 1987, इत्यादि। अब वे 'बी' अक्षर खोलते हैं, उसमें बेग, बरकतुल्ला के नीचे लाइन खींचकर लिख देते हैं–डी. 3.1.2010, फिर 'एस' निकालकर शर्मा, प्रीतम, के नीचे लाइन डालकर लिखते हैं–डी. 15.1.2010, टेलीफोन बुक में उनका अपना भी नाम है–इसलिए नहीं कि उन्हें यह पसन्द है, बल्कि इसलिए कि लोग उनसे टेलीफोन नम्बर पूछते हैं। अपने नाम के आगे वे लिखते हैं–

डी. तारीख?

महीना?

साल?

बूटा निराशा के भँवर में से निकलने की कोशिश करते हैं। गणतन्त्र दिवस 2010 की सुबह है। वे टी.वी. पर परेड देखते हैं। परेड जैसी पिछले साल थी, या इससे भी पिछले साल थी, उसी तरह है।

शाम को वे लोदी गार्डन जाते हैं। पिकनिक मनाने वालों की भीड़ लगी है। 'बूढ़ा बिंच' खाली है। वे उस पर बैठकर बड़ा गुम्बद पर नज़र डालते हैं। एक माली उनके पास आकर पूछता है, "सरदार साहब, कई दिन से दिखाई नहीं दिए। और आपके दोस्त कहाँ हैं?"

बूटा हाथ ऊपर उठाकर कहते हैं, ''ऊपर चले गए।''

माली मतलब समझ जाता है। ''दोनों? सुनकर अफसोस हुआ।''

बूटा फिर अपने हाथ उठाते हैं और कहते हैं, ''भाई ऊपरवाले की माया कौन जानता है!''

माली जवाब देता है—''हाँ, कोई नहीं जानता, भगवान क्या चाहता है!''

बूटा वापस लौटकर फिर बड़ा गुम्बद को निहारने लगते हैं। यह जवान औरत की गोल छातियों की तरह दिख रहा है।

तमाम शुद!

~ ~